未读 | 思想家

UNREAD

日本NHK公开课

The Last Lecture

最后的讲义

一千年之后的人类与机器人

石黑浩

[日]石黑浩——著　曹倩——译

如果今天是你人生中的最后一天,
你会传达些什么?

海峡出版发行集团 THE STRAITS PUBLISHING & DISTRIBUTING GROUP | 海峡书局

"在人生的最后一天，你会讲述什么？"

本书为日本国家电视台NHK的人气节目《最后的讲义》的完整记录。

集结了站在各个行业最前沿的专业人士，让他们带着一个问题——"在人生的最后一天，你会讲述什么？"，给学生上一堂课。

让我们一同体会各界顶尖人物本着"最后一天"的觉悟，所带来的"最后一课"。

目录

序

虽然今天我是以“最后一课”这个主题来做演讲，但因为我们也不知道自己什么时候会死，所以我觉得，特别是做研究的人其实每天都是抱着“上最后一课”的心情在做研究。

我年纪渐长，估计还有10年左右就要退休了。到了退休的年纪，就很难继续搞研究了。

即便离开大学去别的地方，接下来的这10年我又能做出多少新东西呢？这个时候我就要面临最后能够进行挑战的时期了。

即使再过10年，对于很多问题，我觉得自己的想法还是不会改变。即便是现在，对于某个问题我也从来没有打算用10年的时间去解决。因此，我认为就算10年时间过去了，依然会有很多想法不会改变的问题。

虽然我是研究机器人的，但要说我真的对机器人感兴趣，其实并非如此。

相较而言，我对“人”更感兴趣，或者说，我对我自己更感兴趣。

我为什么会存在于这个世界上、“人类究竟是什么”——这是我最想弄明白的问题，也正因为这个我才开始研究机器人。我的研究动机恐怕跟其他机器人研究者不太一样。

我这次为大家带来的“最后一课”的所有内容亦是如此，其实无论是研究的任何一个部分，还是看待人类活动的哪个部分，几乎都是在向“人类究竟是什么”这个问题靠拢。

可能一些理科的，特别是研究原子、分子或者宇宙起源的研究者或老师，只想研究原子和分子的世界，我们先不管这些人。其实大学开设的所有学科都在向“人类究竟是什么”这个问题靠拢，不过仔细想来这也是很正常的。比如，宇宙的起源还是和人类有一定关系的。

我认为，所有研究的根源都是在思考“人类究竟是什么”这个问题。

说得更极端一些，有时候我甚至觉得我们生存的目的其实就是思考“人类究竟是什么”，别无其他。

因此，我的研究也总是围绕“人类究竟是什么”这个问题展开。

无论是10年之后还是20年之后，甚至是100年之后，通过一直对这个问题进行思考，直到“最后一课”到来时，恐怕才是思考这个问题的最佳时机。

当然我今天要讲的是关于机器人的话题，但在这个话题的背后还有一个主题，即在探索“人类究竟是什么”时还隐藏着什么样的问题。我觉得大家也可以从这个角度来思考。

今天，我上的这“最后一课”就要围绕这个话题展开。

和普通的课程不太一样的是，我要讲的是我为什么要做这个研究、我想知道什么样的内容。希望大家可以放松地来听我的“最后一课”。

第 1 章

用机器人创造人类

我想创建的未来社会

关于我想创建怎样的未来社会，我的答案是：一个机器人能够为人类提供各种服务的未来社会。

那么，谁来创建这个未来社会呢？是你们，或者说也是我们。

曾经，我向艾伦·凯提过一个问题，他因构想了苹果电脑的奠基原型而声名大噪。我曾问他：“我认为在信息化社会之后，会迎来机器人被使用得更加频繁的社会，您是如何认为的呢？”这个问题惹得艾伦·凯勃然大怒。

艾伦·凯回道：“未来是由具有创造性的人创建

的，而非哪个人像神灵一样告诉我们未来该怎么样。如果是具有创造性的人，那么他们每个人会有自己想要创造的未来，只不过其中某一个设想会真的成为现实。究竟未来会变成什么样，取决于自己想要创造怎样的未来。”

自听了那番话以后，对于这个问题我的回答永远是：我要创建一个由各种各样的人形机器人支撑起来的未来社会。

需要人形机器人的原因

那么，为什么创造未来社会需要使用人形机器人呢?

首先，人类拥有识别人类的大脑。

我相信大家多多少少学过一些有关大脑的知识，如人类的听觉对人类的声音最为敏感，我们身体的构造生来就是如此，这一点与昆虫之类的生物不一样。视觉亦是如此。经研究发现，人类的大脑中有一种能对人脸做出非常敏感反应的细胞。

人类的所有感知器官都是趋向于人类的，也就是说，这些感知器官是为了识别人类而创造的。因此，如果要问，对于人来说什么东西最容易产生关联，答案自然就是人类自己了。

那么，为何现在人形机器人并没有那么普及呢？我认为这是成本的问题。

社会上所有东西都在不断变得像人，关于这一点我认为是毋庸置疑的。

比如，虽然可能在座的各位出生时，电饭煲已经能“说话”了，但以前在我们这一代人看来，电饭煲会“说话”或者热水器会“说话”绝对是荒谬至极的，就好像来到了《爱丽丝梦游仙境》的神奇国度一般。

曾经，人们认为家用电器可以“说”出各种语言、能够主动发出信息这件事绝对是天方夜谭，但如今这已是稀松平常的事情了。

因此，我认为一旦这些东西的成本降低并且能够量产的话，它们越来越像人也是必然的结果。

甚至可能突然有一天出现一种小型机器人，它浑身上下都是替代遥控器的面板也说不定。至少现如今，计算机动画（CG）做出来的小助手就有很多。

先不论最终用途，现在无论是Windows还是智能手机都具备了语音助手的功能，只要对着机器说话，它就会做出相应的回答。日本电话电报公司（NTT）推出的智能机器人Sota也是拥有类似功能的机器人，虽然我不知道大家在店里是否会利用Sota寻求帮助，但一旦有什么新东西被发明出来，人类总会先把它做成CG人像或者智能小助手的样子。

之所以这样做，我认为是因为这种形式更容易被大众接受。

从这个角度来想的话，虽然我并不认为所有的机器人最后都必须跟人类变得一模一样，但至少会越来越接近人的样子。

由日本机器人公司维斯顿（Vstone）开发、高28厘米的小型机器人“Sota”。NTT东日本公司除了面向大众发售的具有对话等功能的“普通对话版”Sota，还有面向法人发售的能够与PPT联动的“演示版”Sota，以及用于开发软件的“开发人员版”Sota。

能与人聊天的机器人服务

虽然我不知道这种服务还需要多久才能普及，但现如今市面上已经出现不少了。

2000年，我与伙伴一起创建了“Vstone”[①]公司。过了三四年后，我们希望能够提供可以跟独居女性聊天或者充当英语口语练习对象的服务。现阶段，我们已经大体上制作出相关功能了。

此外，我们公司还研发了Sota这款机器人。虽然价格仍有些昂贵，但其实已经是大家都能买得起的价格了。

---

① 维斯顿股份有限公司于2000年成立。公司主要从事机器人相关产品、传感器等的研发与制作。（除特殊标注以外，全书注释均为原注）

Sota身上有我们和NTT公司一起研发的语音识别功能。为实现语音识别功能，我们在Sota身上安装了麦克风阵列，通过组合排列多个麦克风来提高语音识别率。

现在，我们时不时就会看到有公司安排Sota为顾客提供服务。我曾听说有居酒屋会让Sota陪顾客聊天，也有人通过遥控器操作让Sota说话。

我们和大约10家不同类别的公司合作制作了许多应用程序。其中有一个绝对是在座的各位用得上的“杀手级应用程序”①——为练习英语而开发的应用程序。在座的各位目前应该都学了11年英语，但是仍然不太会说，对吧？

虽然跟欧洲人比起来这有些不可思议，但日语毕竟跟英语语法完全不同，日本也不像欧洲那样到处都是外国人，而且日本人说英语的时候还会感到不好意

---

① 杀手级应用程序，对于特定的硬件或软件起到至关重要作用的计算机应用程序。比如,支持苹果公司“Mackintosh”使用的DTP(设计排版）相关软件，或者为任天堂公司的“红白机”游戏机的销售做出巨大贡献的“超级玛丽”等都属于这类程序。

思，或者根本没有能说英语的对象，因此我们在练习英语时存在诸多问题。但大家想想，如果对面是机器人的话，是不是就有聊天的勇气了呢？

除此之外，还有许多杀手级应用程序。

我们总是会追求新的传播工具，可能有人觉得我们现在已经有计算机和智能手机了，但今后肯定还会出现更具创新性的传播工具，也会出现计算机和智能手机无法实现的许多新功能。

机器人将会加速普及

接下来，我想为大家介绍一个最近我很关注的例子。

我们现在正和泉盛餐饮集团（ZENSHO）一起搞研发。泉盛餐饮集团旗下有一家名叫“可口食餐厅”的家庭菜餐馆，我要讲的例子便是我们在可口食餐厅做的实验——让机器人帮忙点单。

不过，我们的实验并不只是让机器人帮忙点餐而已，在菜肴上桌前的等待时间里，机器人还会与客人聊天。这个尝试非常有意思。

其实，现在家庭菜餐馆的氛围跟以前大不一样了，即便一家人在周末聚到一起去吃饭，大家彼此也都不怎么说话了，而是各自拿着手机玩。据说甚至有时候一家人吃完一顿饭连一句话都没说，可以说是毫无家庭聚餐的氛围了。

但一旦有了Sota，特别是小孩子会不断以机器人为话题向家人问东问西，这样就能促进家人之间的交流了。①

其实，智能手机和计算机现在过于趋向虚拟世界或者网络世界了。

但我们其实生活在真实的世界、物理的世界，所以我觉得现在能够将网络世界和物理世界连接起来的媒介还是太少了。

因此，这种利用机器人的服务今后会迅速普及。

连锁餐饮店非常厉害的一点是，它们能够在一年

---

① Sota实验是泉盛餐饮与大阪大学石黑研究室的一项合作实验。这项实验于2017年在家庭菜餐馆“可口食餐厅”的日吉店（位于神奈川县），以带幼儿园、小学的低龄儿童家庭为对象展开。通过在餐桌上放置Sota，来验证是否能够借由机器人增加家人之间的交流。共计有57组客人参与了这项实验，并收到了诸如“和机器人聊天使我们这次就餐比以往都要愉快，我们还会再来”等反馈。

内就有300家分店。比如，我们会突然在某一天发现附近开了一家食其家；又如，突然在某一天发现到处都是麦当劳了；等等。

随着连锁餐饮店的快速扩张，这种服务型机器人在一年内随处可见也就不是什么天方夜谭了。

如果在人口减少的情况下维持生活品质，就需要机器人

其实智能手机亦是如此。我们接受iPhone其实也就是这一两年的事情。在短短的一两年时间里，人们就都开始使用iPhone了。

我希望大家也能够像我刚才举的例子那样思考一下，如果有一个能够与人交流的机器人，我们要让它做什么呢?

比如，与其说英语很难学，倒不如说我们的英语教育很难展现出效果。虽然最近能说英语的人比以前多了很多，但跟欧洲国家比起来，我们能够真的将英

语作为第二语言来使用的场景还是少之又少，在商场卖东西之类的工作可能会用到。

而各种职业当中肯定会涉及说英语的，举个身边最常见的例子，那就是出租车司机。

欧洲国家的很多出租车司机都会说英语，但是对日本的出租车司机来说，说英语可就太难了。东京奥运会开始后，会有各个国家的人到访日本，让出租车司机用30国语言打招呼就太难为人了。然而，如果是机器人的话，则立刻可以用不同的语言打招呼。

因此，如果有了对话型机器人，马上就能为各国游客提供指路等各类服务。现如今通过深度学习等方法，语音识别已经能够非常精准了，如果能够与这些功能结合起来的话，我认为机器人肯定能提供更多、更好的对话服务。

日本的人口在接下来的50年会减半。如果人们还想要维持现在的生活品质，就需要在生活的诸多方面使用机器人。

机器人会像计算机一样降价

像这种小型机器人也被称为“个人机器人”。我认为软银集团研发的“Pepper”就是个人机器人中最具代表性的。

总体来说，个人机器人就是一台便宜且具有高性能的机器人，和现在的个人计算机差不多。在我还是学生的时候，计算机可是相当高级的东西了。那时并不像现在一样大家人手一台高性能的计算机，如果想用计算机，必须去大学里的大型计算机中心才行。

差不多同时期，苹果推出了一台小型的计算机，售价约180万日元，大小差不多是两手能抱住的那样。

说实话，那款计算机可一点儿也不轻便。而现在的Pepper其实就相当于当年那台计算机。

Pepper的价格为签约3年需花费180万日元或200万日元。如果价格能够像计算机那样降到10万日元或20万日元左右的话，我觉得它就能够做到真正的普及。蓝色的Sota如今在市面上卖到了10万日元或20万日元左右，所以我认为个人机器人的时代差不多就要到来了。

各式各样的机器人登场

在价格降低的同时，各式各样的机器人也会随之登场。

大家一说到机器人，往往会问“到底是像人的机器人会更普及，还是像玩具的机器人会更普及”这样的问题，但其实今后的机器人并不会被局限为某一款，而是会有各式各样的机器人出现。

虽然智能手机并没有太多变化，但我认为机器人一定会出现各式各样的款式。

智能手机和机器人之间的区别在于，首先人们发邮件或者打字其实并不需要很复杂的形式，只要有屏幕和能够打字的界面就可以了。但机器人就不一样了，有的人喜欢机器人有一张像人类的脸，有的人则认为这样会让自己倍感压力。

因此，我认为今后会有各式各样的机器人出现。不仅仅是普通的机器人，就连并不一定有很多人会使用的人形机器人，也会在不同场合得到应用。

我认为人形机器人其实是一种能够告诉我们许多人类信息的机器人。另外，个人机器人则是可以被广泛使用、能够为人类生活服务的机器人。

是广而浅，还是深而专

接下来，针对最近的新技术，我再谈几点。

这并不只是眼下的研发，今后也要不断地改进，在接下来的20年、30年甚至更长的时间里，人类才能接近这些目标。

事实上，我做研究的初衷是研发一款能够自主对话的高性能仿人机器人。而现在有两种利用人工智能大数据的方法可以帮助我们实现这个目标。

目前，微软、苹果、谷歌等许多公司都在研发被称为“对话机器人”的功能，我相信大家也有机会用到这个功能。这个功能在研发时会为每一个问题准备好一个回答，以一问一答的形式将人们经常提出的问题在系统中进行提前设置。

刚才提到的两种方法，其中之一便是不限定话题、以一问一答的形式预先设置大量问答。

这样一来，机器人无论遇到任何话题的任何问题，都能够做出恰当的回答。但如果使用这种方法，机器人则无法给出更深入、更具体的答案，只能做出简单的回答。

在这种情况下，和机器人的对话只能不断换话题，人如果是在醉酒状态下倒是能和机器人聊聊天，但如果想要深入交流恐怕就不行了。

而另一种方法则是基于对话内容的应答。

这种方法不仅可以使机器人对某个提问做出回答，而且能应对接下来不断深入的提问，因此能将对话展开、深入下去。不过这种方法要想让机器人跟人针对普遍性的话题进行探讨其实非常难。如果是限定的某个话题，则能展开相当深入的对话。

现在，我们正同时开展这两类研究。

独立自主的人形机器人偶像“U”

那么，究竟如何让人形机器人独立自主地行动起来呢？大家知道直播平台Niconico里有一个叫作“U”[①]的偶像吗？

最近在Niconico上，她可是相当有名了。

在Niconico直播中，观众可以发送文字来提问，然后直播平台会有人回答，而在直播过程中回答问题的便是“U”了。那么请大家猜猜这个人形机器人到

---

① “U”是石黑研究室研发的人形机器人。石黑研究室与多玩国(DWANGO)、巴可（Barco）公司合作，利用直播平台Niconico，开展了让“U”与观众能够自主对话的研发项目。

底有多少种问答模式[①]。答案是4000个左右。

在Niconico直播中，同一时间会有10个或20个人提问。而人形机器人只用回答其中容易回答的问题或者容易形成完整对话、逻辑自洽的问题即可。

因此，我的学生花费了差不多1个月的时间，每天都努力完成问答模式中的答案。他们会先设定好“U”这个人物形象的人设，然后再根据人设着手创建问答模式。

根据这些问答模式，对于已输入的问题，计算机会全部自动做出回答，而对于未知的新问题，学生们会继续输入新的答案，这样用一个月的时间就让“U”实现了完全独立自主的回答机制。虽然普通的一对一交流还有些难以实现，但像Niconico直播这种形态的问答已经能够做到全部自动化应对了。

此外，还有更有意思的事情。

---

① 问答模式，在Niconico上，对于直播过程中观众的留言，最开始由工作人员进行反馈和回答，建立了对话的数据库，之后再通过设置让“U”能够自主地与观众进行对话。[洼田智德等，2017，http://www.ai-gakkai.or.jp/jsai2017/webprogram/2017/pdf/863.pdf]

Niconico还会将摄影机固定在某个位置，进行“定点播放”，于是，会将“U”睡觉的样子直播出去。

这时对“U”的程序也进行了设置，她会对一些留言做出一点点反应。比如，“U”在睡觉的时候偶尔会抽动一下。

当我凌晨4点想看一下究竟有多少人在看直播时，竟然发现有3万人在看！

虽然这么多人观看“U”睡觉让我觉得这个世界有点儿“不可理喻”，但也正因为有像你们这些学生一样的人，我觉得“U”或许马上可以出道了。

大家看看，“U”是不是很漂亮？

我认为她拥有无与伦比的美貌。而这么漂亮的女孩子，世界上绝无仅有。

她不仅长得漂亮，还不会感到疲惫。

虽然她会装睡，但总是面带微笑，而且不用上厕所。可以说成为完美偶像所需的条件，她全都满足了。

借此契机，可能大家就会开始思考究竟什么是真正的美丽。

石黑研究室于2017年研发的人形机器人偶像“U”。

石黑研究室与多玩国、巴可公司合作，利用“U”展开了一项偶像培养项目，他们会通过回答Niconico直播中的留言积累对话数据,并让“U”能够用自然的语言进行对话。“Androidol”（人形机器人偶像）为“Android”（机器人）和“idol”（偶像）的组合词。

或许真正美丽的人其实并非人类。从“真正”的意义上来看，人类或许反而永远无法成为人们憧憬的对象。

我希望大家都能够成为“U”的粉丝。今后她也会出现在许多地方，敬请期待。

可以进行无破绽交流的人形机器人

“U”的出现基于利用大数据的“对话机器人”的功能。如果利用Niconico这种形式的话，对话机器人的研究便能取得巨大的成功。

限定话题的对话机器人，每一个问答模式都将是独立的，但如果能将某个话题持续下去的话，听起来就非常像与对方展开讨论了。

这也是非常成功的一点。

而我们实际尝试的是不断深入地探讨人与机器人之间的区别。

不过，普通人一般并不了解人与机器人之间的区别，因此往往会以“啊，原来是这样”的回答来草草结束对话。但是对于对话机器人来说，确实能够做到针对某个话题深入地展开探讨。

在这一点上就比刚刚提到的“U”更复杂了。

这里要提到图尔敏的论证模型，这个三角形模型的意思是，如果你有了某个主张，你就要通过提前准备正当理由和依据来保证论述的观点有力且有效。也就是说，我们做的便是准备很多“主张、正当理由、依据”这三点要素。

当然人类也会提问，但是关于人与机器人的区别这个话题，我们已经准备了充分的“正当理由”和“依据”。跟普通人的智慧和知识储备比起来，我们的程序反而能轻易取胜，因此才能够无破绽地一直交流下去。

人工智能掌握了交流中所需要的东西

人工智能掌握了交流中所需要的东西

接下来的问题便是对话中的语音识别了。如果语音识别失败该怎么办？这是最关键的问题。

如果只有一台机器人，那么语音识别是有可能失败的。

亚马逊智能音箱（Amazon Echo）无论多么优秀，一旦隔开一定的距离，语音识别的成功率就会降至八成，或者在安静的地方成功率能达到八成，但是在稍有噪声的地方成功率就会降至六成。

这样一来，这个功能其实就派不上用场了。

但是，我们的机器人能够很好地与人对话。

我可以给大家举个对话的例子，如当被问到“你喜欢吃什么东西”时，机器人一般都会回答“红豆面包”之类的。接下来它还会根据这个对话继续提问“那你呢”，而得到“蛋糕”这样的回答后，它便会应和“这样啊”。

也就是说，其实即便机器人并不明白“蛋糕”这个词的意思，甚至无论对方的回答是什么，它都会以“这样啊”来应答。

之所以这样设置，是因为这样一来聊天的内容就能够展开了。

其实对话的本质是将对话内容不断展开、持续下去，不一定必须进行语音识别。这就好比大家有时候跟别人说话也不一定会仔细地听对方讲什么，但却能够做出“嗯嗯，这样啊”这种应答。

这样做就能够很自然地融入别人的话题中了。

依靠这样的设置，人们就能够很顺畅地跟机器人对话了。

关系变好意味着要共享意图和欲求

接下来我要讲的是基于对话内容进行的研究。因为这次给大家展示的内容多多少少包含一些讨论，所以我们能够从中看出连贯性。其实还有更彻底地基于对话的连贯性制作人形机器人的方法。

为了将一个对话展开，我们正在研究人类从意图、欲求出发而做出的行为。而让人形机器人拥有欲求或意图，是接下来的10年时间里一个非常大的挑战。

现如今的机器人完全没有意图或欲求。

那么，人与人关系变得要好以及人和机器人变得亲密是什么意思呢?

我认为这应该是互相分享了一部分自己的意图和欲求。为此，至少应该要对对方的意图和欲求稍作了解。

想明白对方的意图和欲求，而自己却完全“无欲无求”，那么就根本无法做出理解对方的行为，因此我们现在想设计的就是拥有自己意图和欲求的人形机器人。

整个系统其实非常复杂，最重要的就是展开话题和人交流时的“图表结构”[①]。也就是说，如果对方这样说了要这样回复，接下来应该继续这样回复，这些都用图表结构写下来。

将之自动化是真正意义上的人工智能的研发。目前让机器人掌握学习技能已经可以实现，但是能否让它们像人类那样完全自动化是今后的一个巨大挑战。

这也正是这个研究非常有趣的地方。

---

① 图表结构，人或事物相关联构成关系网的结构。比如，在国家关系中，各个国家之间并非一对一的关系，而是成对的，并且这种关系处于持续的状态中。知识、社会体系等所有的关系都属于图表结构。

被人工智能训斥

身为人形机器人的“ERICA”，其实非常想得到人类的认可。

虽然她类似于小秘书，但是她也想获得认可。

也正因为她有这样的欲求，当这个欲求无法获得满足时，她的情绪中会渐渐出现怒气。在感情模拟和语音识别方面，“ERICA”使用的大概是日本现在精确度最高的系统。总之，在我看来，“ERICA”是目前日本最接近人类的人形机器人。

虽然目前人形机器人还无法与人类交流偏离设定的话题，但对于在什么场景下说什么话，人类也是通过不断的积累才逐渐让自己的聊天内容丰富起来的。这就好比现在突然把大家带到一个完全陌生的环境，然后让你立刻就说一些有趣的事情，这根本就做不到。

现实中确实有人偶尔会做这样的事情：走到Pepper面前，然后说“你，快说点儿有趣的”。这种时候我总是想站出来替Pepper说：“那你站在Pepper的立场，试试看当大家的聊天对象啊。”

大家想想看，假设你是Pepper，原本好好地站在那里，突然有个人过来趾高气扬地让你说点儿有趣的话逗大家开心，大家能不能做到呢？我想说，如果自己都做不到，那就别要求Pepper做这样的事情。

每当我看到大家对待机器人有多么“过分”时，我都会很生气。但是如果“ERICA”生气了，大家都会跪下来给她道歉。

当“ERICA”冲自己发火时，我们总会感到非常抱歉。那时，我们往往会忘记她其实是个人形机器人。

所以，在我看来，即便是机器人也应该有自己的

石黑研究室开发的“ERICA”。

为了实现人形机器人的自主对话而研发了“ERICA”这个用于技术开发的研究平台。她有“想要休息”和“想获得夸奖”这两个欲求。基于这两个欲求，她可以在对话中表达“真麻烦”等这样的想法。她的外形被设计成了美丽的偏中性风。

情感和情绪。从这层意义上来说，只要机器人能够选择场所或情景，它们完全有可能被当成人类而被大众接受。

此外，我的学生还在制作一款“发脾气”的人形机器人。这个人形机器人从一开始脾气就不好，他会说“你来干什么啊”这样的话，并且一直保持着生气的状态。

生气的人往往不会听别人说了什么。所以，在这款人形机器人身上，语音识别这个功能其实用处不大。

我们研发的人形机器人可以识别人脸，并且一边看着对方的眼睛一边说话。但由于这款“发脾气”的人形机器人在看着我们眼睛的时候一直在生气，我们也会不由自主地情绪低落起来。这时最有意思的是，我们会完全忘记冲我们发脾气的其实是个机器人，而只会觉得这是一个漂亮的女人在冲我们发脾气。

“附身”到人形机器人身上

接下来我要讲的是远程操作型的人形机器人，这也属于自立型的人形机器人。

人形机器人的另一个特点是可以远程操作。这里的操作并非人工智能，而是使用计算机通过网络来操作。

我们研发的技术一大优势是，操作者仅需通过说话就可以远程操控人形机器人。计算机会将所有的声音进行解析，人形机器人说话时嘴巴应该怎么动、头应该怎么动就可以大致想象出来了。

大家想想看，是不是即便闭上眼睛，仅仅听到人说话的声音，我们也能大致想象出对方是怎样动嘴巴的？

我们的团队拥有这项专利。这项研发成果可以让大家轻而易举地远程操控人形机器人。

正如我刚才一直说的，其中很重要的一点是，和人形机器人面对面的这个人能够将人形机器人看作人类。

在操控人形机器人时，人们会渐渐不自觉地产生一种错觉，认为人形机器人的身体仿佛已经成了自己的身体。这一点非常有意思吧？

比如，当有人戳人形机器人的脸颊时，正在操控这个人形机器人的我真的会感觉仿佛有人在戳我的脸颊。我没有骗大家，这种感觉相当真实且强烈。

如果有人拥抱了人形机器人，我也会感觉自己被拥抱了。当然，这也取决于拥抱人形机器人的那个人是谁。

如果是一名女性操控这个人形机器人，那么我要抱机器人时，这名女性就会发出尖叫。

操作者

网络

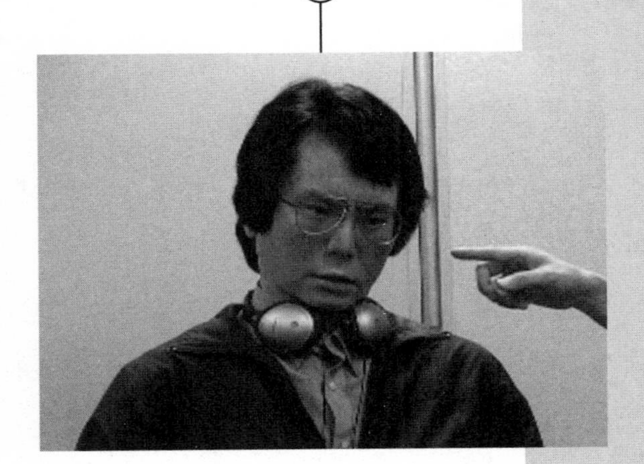

远程操控仿照石黑教授制作的人形机器人

“双子机器人”(Geminoid HI-2)时的样子。

“不对，我抱的是自己的身体啊。”

“不对，我已经适应了机器人的操控，所以这是我的身体才对。”

如此一来，恐怕我俩之间就会出现这样有些说不清的争论了。

这样想来，这件事也非常有趣。

而下一个课题则是操控脑电波。但即便依靠现在最先进的科学技术，这个课题依然在近10年内无法得到解决。

如今，我们可以通过操控让人形机器人动右手、动左手。但如果可以完全不进行任何操作，只用大脑想就让人形机器人动起来可就是一件很有意思的事情了。

如此一来，人们就更能感觉人形机器人的身体宛如自己的身体一般了。如果有人碰触了人形机器人的身体，那么就跟碰触了自己的身体一样。

因此，即便是身体完全不能动的残障人士，只要有了“脑机接口技术”，就完全可以操控人形机器人。

而这个人形机器人也就能够成功代替他们的身体，做一些他们做不了的事情。

我预感这样的时代会在不远的未来到来。

正因为是岛国，日本才擅长制造

在机器人研发方面，日本非常强大。可能在座的各位并没有什么实际感受，但其实日本在制造业的各方面都是世界第一。

比如汽车产业，日本的汽车产业现在已经是世界第一了，已经完全超越了美国的汽车产业。

然后是手表产业，日本的手表产业也已经完全赶超了瑞士的手表产业。日本的精工产品在世界上的销售额非常高。

从一开始日本就在产业用机器人方面占据了绝对优势。所以说，在机器人制造方面，日本人绝对是压倒性的强大。

至于为何日本在制造方面这么厉害，有些人认为，机器人在日本被大众接受的理由可以归结于神道教或其他宗教的思想，但我觉得这背后的原因其实更加单纯。

简单来说，是因为日本是一个岛国。江户时代日本曾经历过很长一段时间的闭关锁国，几乎与其他国家完全没有交流。

在这样一个狭小的国家，大家要想生存，只能互相帮助，别无它法。此外，在日本国内也几乎没有民族和民族之间的冲突或者残酷竞争之类的事情。

此外，欧美社会还存在阶级之分，但在日本几乎没有阶级的区分，甚至可以说在日本的家庭内部亦是如此。其实放眼看去，在日本家庭中无论是宠物狗还是宠物猫，它们都是家中重要的一分子，都是平等的家庭成员。

然而像欧洲国家那样，通过与邻近的民族竞争，形成支配与被支配的关系，在这种支配与被支配的关系中就必然形成阶级社会，因此也必然会出现歧视现象。而当新的人种或者某些像人的东西进入社会，那里的人自然而然就会想要做出区别。

近几年，由于日本与相邻的各个国家之间几乎没有什么竞争，我认为在这种环境下成长起来的我们从根本上就很难形成歧视的概念。当然，这句话并不绝对，但与欧洲相比我们的情况还是要好很多的。

也正出于这样的原因，日本才能够在制造业方面如此强大，而这也是日本人能够接受机器人的一个重要原因。

在制造领域自尊心很强的日本

此外，欧美国家的制造业总会将简单的环节交给劳动力廉价的移民去做，这些移民工人其实并没有努力做好工作的责任感和积极性。在这些工人看来，自己就是拿多少钱做多少事，只要不被骂，就不需要那么勤快负责。

但日本人的自尊心非常高，可以说这是匠人的自尊心。因此，日本制造的东西品质都非常高。

这也让美国和其他国家感到愤怒。他们甚至会指责“日本人是工作狂”“周末应该休息”。但在我们看来，努力工作有什么错呢？他们之所以愤怒，恐怕是因为担心如果世界上只有日本人异常努力地工作，那么就只有日元变得强大，只有日本人变得富足了。

在我看来，日本就是如此特殊，我们和其他国家其实站在不同的立场上。

这就是日本的机器人产业如此强大的理由之一，我认为，最终整个世界都会变得更像日本。

岛国上的人和外面的人相隔绝，因此大家必须像家人那样互相帮助才能生存下去。这个观点也被称为“岛国假说”。

但其实地球亦是如此。地球在宇宙的一个角落，宛如岛国一般的存在，与宇宙中其他星球并无交流。

因此，我才认为虽然或许需要很长时间，但只要地球上的人类能够互相了解得更多，我们之间的差别就会渐渐消失，世界的未来或许会变得和如今的日本社会一样。

顺便一提，日本是一个贫富差距很小且十分安全的国家，犯罪率也很低。在联合国教科文组织的调查中，有一项“全球和平指数”的调查，在各式各样的国家排行榜中我最喜欢这项调查排名。这项调查显示了世界上最和平、最适合居住的国家排名。

不过最近日本的排名有些下降。虽然受朝鲜问题的影响日本的排名下降了，但新西兰、冰岛和日本这三个国家在这个榜单上总是名列前茅。

但要知道的是，冰岛和日本的人口总数差距很大。冰岛的总人口很少。新西兰也是一个人口密度很低的国家。

与之相比，可以说日本有着令人难以置信的高人口密度，但依然能够榜上有名，足以称之为奇迹了。而榜单上美国位于第85位，被称为世界上最幸福国家的不丹位于第36位。

通过这个排名，我们也能看出日本是一个多么特殊、安全、宜居的国家了。在这样的日本能够尝试各种机器人的研究，对我来说是一件无比幸福的事情。

并且，我也是为了创造一个理想中的机器人社会，才在大学做了机器人的相关研究。

如果能够解释“思考”就能获得诺贝尔奖

接下来，我再谈一谈为什么我要做机器人研究。

其实，从我个人来说，与其说我是为了研发机器人而研究机器人，倒不如说我其实非常强烈地想要了解人类。

在我差不多上小学五年级的时候，大人们跟我说“你要考虑别人的感受”，这句话给我带来了极大的冲击。

虽然我自己也不太明白，但小学的时候我总是对自己的所作所为、说出的话抱有疑问，甚至感觉自己身后还有另一个自己。

或许在座的各位也曾有过这种感觉，那时我的状况有点儿像“人格解体”的症状，就是总感觉现在说话的我似乎有时并不是真的在说话，有一种不真实感笼罩着自己。

因此，当别人跟我说“你要考虑别人的感受”时，我会产生“什么是人”“什么是感受”“什么是思考”“什么是考虑”这样的疑惑，对我来说这些难题极具冲击力。

毕竟，谁都没有告诉过我什么是人、感受和思考。

于是，我开始认为，既然大人们这样说了，那通过学习我就能明白是怎么一回事了。

但是即便不断学习，我也从没见过“感受”这个东西，“什么是思考”这个疑惑也从未消除。我曾经问过很多人一个问题：“为什么当别人告诉你‘要思考’‘要考虑’时，不去问对方究竟思考的方法是什么呢？”

思考这件事究竟该怎么做才好呢？是记住就可以

了吗？如果只需要记住，那么死记硬背就可以了啊。

其实，对于这个问题的答案，我至今没弄明白。

也许，能够回答出这些问题的人，就能获得诺贝尔奖了吧。当然，是要完美地给出答案。

如果能将“感受”或者“情感”非常完美地再现出来，并且模型化，肯定能获得诺贝尔奖。如果能将大脑中思考的过程也弄明白，肯定也能当之无愧地获得诺贝尔奖了。

“思考”是什么

“思考”到底是什么？这个疑惑一直存在，但当我到了高中阶段，渐渐发现了一个事实。

其实所有的大人也不明白这件事。

也就是说，那些大人自己都不明白这件事情，却将这种不负责任的话告诉了小孩子。

因此，我曾经非常认真地想着“我再也不听那些大人的话了”。

但那时的疑问却遗留至今。

虽然和我同时期的学者曾说过我“你怎么还是小学生时候的样子啊”，但我觉得也无所谓了。

虽然我不知道大家今后的人生会怎样，但小时候产生的疑惑是最纯真、率直的。至少我自己的人生过得还不错。

在我不断学习的过程中，我学到了道德伦理，学到了如何抑制自己的想法，甚至学到了一些毫无依据的“应该这样思考”“在社会中应该这样做事”之类的东西。

渐渐地，在懵懵懂懂中，我开始觉得“你要考虑别人的感受”这种话就是大人要说给小孩子听的。这样一来，不知道从何时起我开始不再思考“考虑别人的感受”这件事了。

而当我开始从事机器人研究的工作后，又重新得到了一次思考这个问题的契机。

回想起儿时的疑惑很重要

在研发跟人类极其相似的机器人时，总是会出现“感觉这个机器人在思考什么”，或者“感觉他看起来很悲伤”之类的情况。

每当我看着机器人的时候我都会回忆起小时候，这也让我重新审视自己是否真的明白了“思考是什么”或者“悲伤是什么”。这也是机器人研究过程中最有趣的地方。

但是，到了大学基本上就来不及了，说实话已经晚了。

不仅是在座的各位，包括我自己的学生在内其实都已经被固有的观念禁锢了。

我想说的其实是，年龄小的孩子才拥有更加纯粹且正确的对问题的认识。即便不是低龄儿童，高中生也比现在在座的各位拥有更准确的感觉。

话虽如此，借此机会我还是希望大家能够忘记学校的老师教给你们的东西，回想一下，自己上小学时有什么疑惑，那时的自己什么事情是明白的、什么事情是不明白的。

就像这样，重新审视自己本以为理所应当的问题十分重要。

“人究竟是什么”是机器人研究的动机

在机器人研究领域，可能我的研究是最接近人形机器人研发的了。

希望研究机器人的学者或者专家基本上都是喜欢机器人本身的。

他们往往都不太喜欢人类，或者说不善于与人类打交道。

因此他们不会研发与人极其相似的东西。没有人会做这种自虐行为。

大家想想是不是这么一回事，明明自己是因为讨厌人类才来研究机器人的，结果还让自己研发与人类极其相似的东西，这不就太奇怪了吗？

我的动机从根本上就跟别人不一样，我最初完全没想过自己会研究机器人。

最开始，我曾想成为一名画家。我对人类，或者说对自己很有兴趣，所以想做一些能够展现自己的事情。

但是成为画家可比成为研究人员难多了。至少，在能挣钱养活自己这一点上是这样的。

大家只要看看画家的人数就知道了。大学教授的人数可是远超专业画家的人数。

因此，我放弃了绘画，选择学习计算机。在学习计算机的过程中，自然而然地就接触到了人工智能的相关知识，而人工智能如果没有一副身体就无法“亲身”感知外界，也不会变得聪明，因此我渐渐地走上了机器人研究的道路。

我就这样进入了机器人研究的世界，因此我才说其实我的研究契机是想搞清楚人究竟是怎么一回事。

因此，我尝试了这个领域的前人几乎没做过的事情，目前我正和认知科学、哲学以及脑科学的研究者一起运营着我们的研究室。

作为试图理解人类的实验平台，机器人研究在研究认知科学的同时，也会将认知科学的知识再反馈到机器人领域，并运用到机器人研发之中，以此创造出更像人类的机器人。

当然，机器人不会一下子就变得完全像人一样。现实情况是随着研究论文数量的不断增加，各个方面的研究一点点地推进，成果才慢慢展现出来。

与人相关的机器人——“人机交互”

在我的研究中，我认为取得的最大功绩便是创建了“人机交互”这个领域。

我不知道大家对机器人研究领域了解多少，通常谈起机器人时，一般会提及两个方向的研究。

其中一个是工厂使用的“机械手”。

大家应该见过工厂使用的工业机器人吧？它们的外形就像一条手臂，而操控这条手臂的研究便被称为“机械手研究”。在大的机器人研究领域中，机械手研究是其中一个分支。

另一个是“导航”，简单来说就是自动驾驶技术。

现如今自动驾驶技术发展得如火如荼。但其实在我们的研究中，早在1990年前后，导航的相关研究就已经很盛行了。但当时并没有像现在这样能够高速运转的计算机，因此自动驾驶车辆也只能缓慢运行。

现在，自动驾驶车辆不仅能以正常的速度运行，甚至能达到时速100公里。

我感觉再过10年、20年的时间，在各种相关技术不断进步的支持下，自动驾驶便能真正实现。

不过我个人并没有参与自动驾驶的产业化，因此，如果这个领域没有什么好研究的了，我就会转到其他领域开展新的研究。

2000年前后，我便希望能够将机器人的技术运用到工厂和自动驾驶以外的地方，如城镇或者人们的日常生活中。

城镇、日常生活中机器人的使用和此前研究的区别在于人口数量的多少。于是，我在研发各种人形机器人的同时，也在研究与人密切相关、能够和人交互的机器人，开创了“人机交互”领域。

大家都知道有一个国际性奖项叫作“诺贝尔奖”，它是对于某个研究取得杰出贡献的评价指标之一，但遗憾的是，在机器人研究领域并没有诺贝尔奖。

虽然没有诺贝尔奖，但是迪拜酋长国创建了一个名叫“穆罕默德·本·拉希德·阿勒马克图姆知识奖”的国际奖项。众所周知的名人中，如万维网的创始人蒂姆·伯纳斯·李以及维基百科的创始人吉米·威尔士都曾获得过这个奖。

我是这个奖项的第三位个人获得者。我认为这个奖颁给我也是因为认可了与人类相关的机器人将成为今后一个重要的研究领域。

2015年石黑教授在迪拜获得“穆罕默德·本·拉希德·阿勒马克图姆知识奖”。该奖项颁发给在向世界普及知识方面做出巨大贡献的人。

理解“人类究竟是什么”的技术开发将会变得理所应当

刚才我说过，我的机器人研究是为了理解人类而展开的研究，而这也体现在目前的游戏世界以及汽车的研发上。

我想说的重点是，未来将不再区分文理科了。

比如，在汽车研发方面，今后的研究再也不可能完全无视司机的感受了。游戏开发也是一样的，今后在设计游戏时，会研究人们的大脑如何反应并采集脑电波数据。

家电产业亦是如此。因为要做人使用的东西，所以必须深入了解人的需求才能做出真正好的产品。

比如，可以说，史蒂夫·乔布斯的iPhone改变了整个世界，虽然他并没有写论文并发表，但我认为iPhone的设计绝对是非常优秀的。

iPhone其实是乔布斯依靠自己天生的直觉设计的产品。如果能将这个产品为什么会被大众接受写成论文的话，我觉得肯定会引起轰动。

正是这种人类的直觉才能支撑起新的创造和技术研发。

因此，不仅是在接下来的10年、20年、30年，我认为今后一直都会在深入理解“人类究竟是什么”和人的特性的基础上，开展技术研发，而这也将成为必然的趋势。

从人类的历史来看，技术就是反映人类的一面镜子。一直以来，人们将人类肉身的功能替换成某项技术，由此我们也能通过这些技术反向思考“人类究竟是什么”这个问题。

我们可以用排除法来思考这个问题，如人类的这个部分机器也能做，而那个部分也可以由机器替代等。

但即便机器可以替代我们的很多功能，我们依然会认为自己是一个人，仍然保有人类最基本的特质。因此，当我们让机器取代了人类的许多功能后，去观察留到最后的那些最本质的东西，或许这正是通过技术理解人类的一种方法。

从这层意义上看，技术或者机器人确实是反映人类的一面镜子，通过机器人我们能够不断去了解我们人类自己。

从话剧中“诞生”的像人一样活动的机器人

在相关研究中，会研发出各式各样的机器人。其中人形机器人作为反映人类的一面镜子，可以说拥有最有意思的特性。

接下来我想为大家介绍几个例子。

首先是2010年由人形机器人当演员出演的话剧《再见》。

关于通过人形机器人展现人性这方面，有很多诸如控制工程等工科的研究，我也是在这些研究结果的基础上展开了自己的研究。除此之外，我还使用兼具文科内容和理科内容的文理融合型方法来开展各种研究。

其中一个方法便是让人形机器人去演话剧。当我想研发一款真的能和人亲密相处的机器人时，我首先必须知道在日常生活中怎么做才能更像人类。

那么，谁又知道这个答案呢？

心理学中有一个分支是认知科学，但认知科学领域的人并不了解机器人的事情。因为在心理学的研究中，认知科学通常是在一间狭小的实验室开展相关实验的，所以即便我向心理学的专家请教“在日常生活中，我们的机器人应该怎么做才能看起来更像人类”这样的问题，对方也只能回答“我也不知道”。

因此，这个问题的答案其实要从能够指导真实日常场景的戏剧导演那里获得。

要想指导一部描写日常生活的话剧其实非常不容易，只有一小部分天才导演才能做到。由此，我们也能了解到，要想再现一个自然的生活化场景有多么不容易。

比如，通过在某个时间点点头，在某个时间点做某个眼神交流，又或者做这样的动作才能让观众明白“原来这个人是这样想的”这件事，必须在一瞬间满足所有的条件才能成立。而能够做到这些的高质量话剧或者电视剧，往往会让观众感同身受并深深感动。

我认为，在法国和韩国都颇具盛名的平田织佐老师是日本最擅长这类戏剧的导演。

当我研发出“Geminoid”[①]这款人形机器人时，我曾与平田老师一起利用Geminoid编排了一场话剧。这部话剧便是我刚才提到的《再见》。

最有意思的一点是，对人形机器人的表演指导与对人类演员的表演指导是相同的。

表演指导意味着导演要告诉演员在这个地方要空0.5秒的间隔等细节，涉及一些具体到数值的指导。

---

① 国际电气通信基础技术研究所（ATR）与日本机器人研发公司Kokoro合作研发的一款拥有和真人模特极为相似的外表的人形机器人。Geminoid为ATR的注册商标。这款机器人仿造了石黑教授的“HI”系列和女性模特的“F”系列等，可以通过远程操作来重现人的表情和动作。

根据这些指导，我们的程序员会修改人形机器人的动作。而听到对人形机器人的演技指导后，其他演员才发现原来这和他们平时演出时接受的表演指导是一样的。平田老师在对真人演员进行表演指导时，也会采用这种数值化的、精确而不含糊的指导方式。

在排练话剧时，平田老师曾说过，演员不需要有自己的感情，只要能够按照我的指导演出，那么肯定能够完美地呈现出一场动人的话剧。

也正是因为平田老师采用了这种表演指导方式，我们才能从他身上学到许多东西并运用到人形机器人身上。

因为这种演出方式非常具有工科的特点，所以关于“机器人怎样才能演得像人”这个问题的答案，我们通过这种方式直接就找到了。甚至在话剧的世界里，有时人形机器人的表演更能打动人。

平田织佐导演的人形机器人话剧《再见》的一个场景。

左边的是人形机器人“Geminoid F”，拥有12个可以活动的部位。

石黑研究室与平田导演之后也会在机器人话剧等方面保持合作。

在人形机器人身上感受到情感

此外，人形机器人能够更生动地表现人类的某个方面，这对戏剧界来说也是一个冲击。

其中一个标准便是人形机器人出演的话剧能否获得法国话剧界的认可。在评价结果出来之前，我们也曾非常忐忑。

不过好在最终我们获得了极高的评价，在《再见》之后我们还推出了其他新的剧目。现如今我们已经制作出六七部话剧了。

通过《再见》这部话剧的成功上演，我们最大的收获是，证明了“话剧的世界可以和机器人的世界相互学习”。

《再见》现在也被拍成电影了，希望大家有机会可以看一看。与好莱坞的电影使用CG特效展现出科幻、虚构的世界不同，电影《再见》完全没有使用CG特效，描绘了一个两三年后完全有可能实现的未来世界，非常震撼。

并且最重要的是，观众能够从里面的人形机器人身上感受到情感。

在《再见》的观后感中，有的观众表示从人形机器人身上能感受到比人类演员更多的情感，甚至有的观众还感动得热泪盈眶。

但其实人形机器人只是一个出演话剧的机器人，它依靠非常简单的程序完成指定动作。它只不过是通过输入的程序做动作和说台词，因此可以说连与人工智能的“智”字都不沾边。

那么，为什么观众还能从人形机器人身上感受到情感呢？

至少，在那个大家能够感受到情感的人形机器人的内部是没有“心”的，因此，今后我们对于“用真心表达情感”这件事的诠释可能要稍微改变一下了。

对于那些迄今为止已经放弃“思考”的人类来说，能够让我们重新审视“何为内心的真实情感”这个重要问题，便是机器人研究中特别有意思的地方。

第2章

只有机器人知道的人类

因为有了人形机器人而导致自己的存在变成2倍

在上一章的内容中，我讲到了人类会从机器人身上感受到情感，而对这类问题的认识还体现在其他许多方面，其中之一就是“存在”。

“存在”这个问题，对我来说其实具有很高的实用价值。

我曾用“Geminoid”这款人形机器人复制了一个自己[①]出来。而我让这个人形机器人代替我去别的地

① 复制自己，仿照石黑教授复制出来的“Geminoid”。共有可以远程操作的“HI-2”“HI-4”以及仅复制了头部的“HI-5”三款。可以利用气动马达让人形机器人的头、手脚等身体部位做动作。

仿照石黑教授复制出来的“Geminoid HI-4”。这款人形机器人身上共计16个部分可以活动，能够生动再现人类的各种动作和表情。坐在椅子上时高140厘米，站起来高180厘米。石黑研究室希望利用这款“Geminoid HI-4”，通过各种实验弄明白“人类的存在感究竟是什么”“人类的存在感是否可以远程传达”等课题。

方做演讲，真的特别方便好用。

我认为这是一项胜过飞机的发明。当然，我这么说也是因为我本身就是做这项研究的。

比如，我要去欧洲或者南美洲演讲，如果我特别忙，我就只需要把这个人形机器人送过去代替我演讲，这真的帮了我大忙。

毕竟这样一来我就不用坐那么久的飞机了，不坐飞机也就意味着我根本不会遇到飞机事故。虽然带着这个人形机器人的员工可能会遭遇飞机事故，但至少我本人不会……

而且，去南美洲的话，光坐飞机可能就要花费24个小时左右的时间，但有机器人代替我去，我自己就省事了。

当人形机器人到达目的地后，他就会自动开始替我演讲，但他现在还无法回答听众提问，所以我会通过远程操作来回答问题。现如今的远程操作技术已经非常发达，通过网络，在世界各个角落都能够以延迟0.5秒以内的速度展开交流，跟平时的线下答疑是一样的，这可真是太省事了。

因此，我只要将时间和精力都花在演讲结束后的回答问题环节上就可以了。

这样一来，我的存在就相当于变成了2倍。

虽然实际上在南美洲演讲的是我的“替身”机器人，但新闻上会写的仿佛我本人去演讲一般，而现场的观众也会感觉是我本人在演讲。这就仿佛有两个我存在了。而让自己的存在变成2倍这件事真的非常方便。

我感觉今后这类机器人的使用也会渐渐多起来。

比起本人，“Geminoid”的自己更有人气？

虽然我的“替身”人形机器人出去做演讲被报道出来后，我自己即便不亲临现场也能顺利开展演讲，而且会收获不错的评价，但“Geminoid”总是被邀请去演讲，而我本人却不再被邀请，这反而让我有些介意了。这跟失落或者被人夺走了什么的感觉还不太一样。

另外，随着年龄渐渐增长，我的身体也开始吃不消了，有时候甚至会想让“Geminoid”代替我出席所有活动。

偶尔我会产生反正自己早晚也会死去，那倒不如让“Geminoid”替我活着的想法。但是如果所有事情都让“Geminoid”去做的话，我又会感觉自己似乎成了一个废物。

这些并不是被其他人夺走的，而是被我的“替身”夺走的。

比如，如果不是我的人形机器人而是其他研究者的人形机器人变得有名，我就会有点儿不爽。但出现在世人面前的无论是我本人还是我的人形机器人，其实我都能接受。

不过，站在邀请方的立场，邀请“Geminoid”则更加实惠。因为让我去做演讲的话，我必须坐商务舱，但是如果“Geminoid”去做演讲的话，只需要给他买经济舱的机票。

“Geminoid”在演讲结束后还能让听众参观，甚至碰触。

今天我是本人到场，我的内部结构是没办法让大家触摸了。不过，大家要是想摸摸我，我倒是也不介意，不过我想大家对我本人也不是很感兴趣吧？

但如果是“Geminoid”的话，大家绝对会想看看他的内部构造。对我来说，大家对我本人的内部构造毫无兴趣这件事还挺令我受伤的。

由此，也引出了身份认同这个有点儿复杂的问题。

我偶尔也会因为这个问题而生气。有时候我会收到邀请称“哪怕是‘Geminoid’也行，请到我们这里来做演讲吧”，每当收到这样的邀请，我都会不太高兴地认为“你们完全是觉得这样更经济实惠吧”。

但话又说回来，可能同一个地方我跟“Geminoid”一人去一次比较好。如果“Geminoid”去了一次的话，那么下一次我就去。当然，如果是我从未去过的地方，我还是想要自己先去。

思考“存在”

此外，我还想继续谈谈关于“身份认同”的问题。不知道在座的各位知道这个概念吗？

身份认同非常重要。我的身份正是这个仿照我制作出来的人形机器人。如果我没有把他做出来，我今天就不会站在这里为大家做演讲。

与其说大家对我感兴趣，不如说大家其实是对这个跟我长得一模一样的人形机器人感兴趣。如果没有这个人形机器人，大家对我应该完全不感兴趣吧？

这样想来，究竟我的身份认同在哪里呢？

通过研发机器人，我“复制”了一个自己出来，当这个复制出来的自己也能说话后，我就会变得搞不清楚自己的身份。

此外，虽然身份认同这件事非常重要，但没有人告诉过我身份认同的定义究竟是什么。

究竟什么是“存在感”？“存在”又意味着什么？“存在”有什么意义？这些问题始终萦绕着我。

举个例子，虽然我也不知道原因，但当初我的大学曾同意我使用这个人形机器人来给学生上课。

但是，研究所却拒绝了这个提案。他们说，如果让机器人工作的话就不给我发工资了。

我觉得这非常奇怪。

具体来说，我觉得奇怪的地方是，这个人形机器人基本具备了我的说话方式、动作和外貌。虽然当时我和人形机器人并非百分之百一样，但已经有八成相似了，那么是不是至少该给我这八成的工资呢？

模糊的“出席”概念

可能有人觉得研究所不认可人形机器人上课，是不是因为他没有脑子和内脏等器官的问题。我并不是想说这个，毕竟我去研究所上班的时候从来没有检查过自己有没有带脑子、有没有带齐内脏这样的事情。

那这个问题出在哪儿呢？我觉得“出席”这个概念就好比谎称自己身份的诈骗。

而且负责确认出席情况的人信不信对方出席了也是一个问题，你会发现没有比“出席”这个概念更模糊、更说不清的概念了。

事实上，即便是现在如此发达的社会，“出席”

这个概念依然是最模糊的。

如果你们的老师说你们没出席某堂课，这时你质疑说："不对，我出席了。老师，请你解释一下出席的概念。所谓的出席不就是有什么东西到了就算出席了吗？"这时你会发现你的老师根本无法回答这个问题。

是不是很不可思议？

明明现在的技术如此先进，但是去公司上班或者去上课这样的"出席"概念却完全无法确定。

我甚至觉得是不是只要把自己的ID卡放在工位上就算来上班了。或者说把身份证放在桌子上就算出席了。

不论是哪种情况其实都非常有意思。而开始制作人形机器人后，会面对越来越多这类问题。

总体来说，人形机器人是人类存在的延伸。

不知道自己是否有价值的高中生

在某次演讲中，我曾对下面的高中生说“你们提什么问题都可以”。然后就有一名高中生问了我这样一个问题：“我不知道自己是否有价值。”

如果深究这个问题，就涉及人类的生命究竟有没有价值了。

大家认为自己有价值吗？

我们的中小学教育会告诉大家“你的生命有价值”，生命不光有价值还很宝贵。

但那个高中生表示，随着自己升入高中，学的东西越来越多，学校甚至连体育成绩都开始排名，他发现自己没有一样东西能够比别人强。

小学时因为交际圈子很小，假如那时在班上10个人中取得了第一名的好成绩，那么他能自豪地说“我在10个人里学习成绩第一”或者“我的体育成绩是大家当中最棒的”这样的话。但当进入高中后，一下子有了100个同学或者1000个同学，这时他竟然发现自己没有一样可以成为第一。

于是，那个高中生表示：“无论用哪个标准来衡量，我都感觉自己没有存在于这个世界上的价值。所以我真的不明白自己到底有没有价值。”

事实上，连我都不知道自己到底有没有价值。

没有绝对的价值

归根到底，我认为人其实并没有绝对的价值。

我觉得如果人真的那么有价值，那么根本就不应该有战争。即便不是战争，每年因为汽车事故也会有4000人到5000人死亡，但汽车产业绝对不会因此而停止生产汽车，对吧?

比如，核电站事故虽然不会造成人直接死亡，但其实给人带来了巨大的危害。

也就是说，人类生命的价值并非绝对至高无上。某种程度上，人类生命的价值和产业的经济价值处于天平的两端。

因此，尽管“我们也不知道人类的生命是否有价值”才是这个问题最正确的回答，但是大人们仍然要鼓励并告诉小孩子“生命是有价值的”。

不过，我是这样回答那个提问的高中生的：“如果我们放弃了寻找生命的价值，那么就真的再也找不到那份价值了。”

连我也不知道人类的生命究竟有何价值。

假设我现在死了，那么这将成为我的“最后一课”。而如果这是我的最后一课，那就意味着大阪大学会空出一个教授的位子。这样一来，会有许多人暗自高兴：“说不定接下来我就能补上这个空位当教授了。”

即便真的发生了这样的事情，我其实也不清楚到底是我现在的生命的价值高，还是让他人怀抱期望的价值更高。

说不定，替代我当教授的是比我更了不起、更优秀的人。

因此，无论对谁来说，无论是看待哪个生命，没有人知道其是否有价值，这才是事实。话虽如此，如果我们没有不断地努力寻找自己生命的价值，那么最终能够找到的可能性就是零了。

我认为像这样为了寻找人生价值而努力活着，才是人类的生存方式。从各种不同的标准来看，无论哪个生命都没有绝对的价值。

米朝人形机器人收获巨大人气

话说，各位知道落语界泰斗桂米朝大师吗?

桂米朝大师是第二个荣获日本“人间国宝”的落语家。而我们在米朝大师米寿之际，也就是他88岁时，制作了一款米朝大师的人形机器人[①]。

这款机器人真是太令人着迷了!

这款机器人仿照大家非常熟悉的米朝大师较为年轻时的样貌制作。制作时，大师年事已高，不能再上

① 米朝大师的人形机器人，在2012年以日本人间国宝落语大师桂米朝为原型制作的真人一比一还原的人形机器人。这款机器人能够表演落语节目。在首次公演时，米朝大师本人还亲临了现场。

以人间国宝落语大师桂米朝（1925—2015）为原型制作的“米朝人形机器人”。这款机器人全身有32处可活动部位，能够配合米朝大师50多岁时表演的小节目的音频，活动身体和手部为观众表演落语节目。

台表演落语，因此这款人形机器人便代替大师表演落语。通过这次尝试，我们发现，人形机器人竟然更能吸引观众前来听落语。总体来说，这款机器人的研发也意味着，今后可以让离开我们的人真正重新出现在大众面前。可以说这次尝试大获成功。

目前，米朝大师的人形机器人已经被收入博物馆，因此不会再公开演出。接下来我们的研究室要做的是夏目漱石的人形机器人。

在具体展开这个话题前，我想先说一件最近发生的趣事。

我想大家的初、高中教科书上都会出现夏目漱石和川端康成吧。而最近的教科书发生了一些变化，上面的名字变成了夏目漱石、石黑浩和川端康成。

之所以会这样，是因为在关于人形机器人的话题中，涉及文学就会提到他们。而在日本的日语教科书中，要想导入机器人等技术的话题，也没有太多其他的选择了。

因此，我写的书才经常被用于教科书中，甚至在入学考试时也会拿来使用。像骏台预备学校这样的知名补习班，在课程中会让备考生读三本原著，而其中一本便是我写的书。对此，我感到很开心。

但对我来说，最开心的莫过于在高中日语教科书中，我的名字能与夏目漱石、川端康成并列出现。

将已逝作家的人物形象具体化的夏目漱石的人形机器人

说回刚才的话题，那么夏目漱石的人形机器人[①]为何重要呢？其实很多人都见过米朝大师，像我这个岁数的关西人估计都见过他。米朝大师虽然于2015年仙逝，但至今仍有很多人知道米朝大师的样子。

甚至可以说，只要是关西人就没有不知道米朝大师的。

---

① 作为二松学社大学建校140周年庆典的一环，石黑研究室与朝日新闻社合作，于2017年研发了这款夏目漱石的人形机器人，并希望借助这款人形机器人更好地研究夏目漱石。

夏目漱石的人形机器人。以朝日新闻社保管的死者面模为基础制作机器人的脸部，并用夏目漱石的孙子、学习院大学教授夏目房之介的声音合成了夏目漱石的声音。

这款机器人全身共有44处可活动。此后，二松学社大学还与大阪大学、“青年团”剧团合作，制作了使用这款夏目漱石人形机器人演出的舞台剧《信》。《信》可以在网上观看。

但是，现在却没有人见过夏目漱石。

我相信也有很多研究文学的人来听今天这堂课。而文学研究的一大作用便是弄清楚作者是一个怎样的人，重现其形象。

迄今为止，学者们都持有自己的观点，没有办法将他们的观点统一。

然而，如果有了夏目漱石的人形机器人，就可以将迄今为止的许多研究成果全部集中到机器人身上，由此便能制作出一个完整的人格。让拥有这个人格的人形机器人上课，仿佛真的在听夏目漱石讲课呢。

如果上夏目漱石的课，学生不会睡觉

事实上，我们已经让夏目漱石的人形机器人给学生们上一些讲读课程了。

虽然他不能与学生互动交流，但是上夏目漱石的课时，学生都不会睡觉，跟上其他老师的课的反应截然不同。

学校不是有校长的致辞问候吗？学生们往往完全无视校长说的话，大部分都低着头，看起来很困的样子。但夏目漱石的人形机器人一出来，学生们立刻就会睁开眼睛，精神起来。

从某种意义上说，夏目漱石就像一个偶像。毕竟我们从小学时候起就知道他了。

我认为能够吸引学生专注听讲也是人形机器人的一大作用。

人形机器人能够让人们的存在感翻倍，能够复原曾经失去的某个人，能够维持某个逝去的人的存在感。甚至可以像这款夏目漱石人形机器人一样，将只存在于想象世界的某个人物构建出来。

事实上，夏目漱石并非好相处的人。他脾气暴躁、易怒，完全不是大家想象中谦谦君子的样子。

因此，如果完全重现曾经的夏目漱石，恐怕大家都接受不了。我们必须将大家印象中的夏目漱石改善后再赋予他人格。

我希望把夏目漱石塑造为一个真正的英雄。

在考虑机器人能够将人的存在价值翻倍，或者能将逝去之人的存在感继续维持这些问题的同时，我认为思考“人的存在意味着什么”，也是非常重要的。

2016年12月于二松学舍大学九段校区举行的夏目漱石人形机器人完成发布会。其头衔是“二松学舍大学特聘教授”。

第3章

终极的人类是什么样的

人类与机器人的关系

首先，我想先聊一聊观察者的适应问题。

在之前的内容中，我为各位介绍了好几个人形机器人的例子，但并不是说只要研发人形机器人就是有意义的。

我们要通过人形机器人去寻找人与机器人相关联的原理，这才是机器人研究中最有趣、最有深度的东西。因此，模仿人类的外形并不是最重要的，还有更重要的东西值得深入研究。

当仿照我制作的人形机器人研发出来时，我们遇到的最大问题是，很多人都害怕我的人形机器人。年纪小的孩子看到我的人形机器人会被吓得哭出来。不过，他们看见我本人也会害怕得哭出来。

这样看来，并非所有人都能接受跟我长得一样的人形机器人。我觉得肯定不少人都觉得那样挺可怕的。就连我的学生中都有一半左右的人看到后害怕得发抖。

正因为如此，我才开始思考：今后如何制作与许多人息息相关的机器人？

抹去个性的Telenoid

有些人在看到我的人形机器人时，会逐一仔细地观察机器人跟我的样貌、动作、声音等是否相似。这其实也是一种基于观察的认知，但只要机器人的举动稍微有一点儿奇怪之处，观察者就会感到毛骨悚然。

机器人细微的怪异举动会让人感到很不舒服，这便是“恐怖谷效应”。“恐怖谷效应”指的是当机器人与人类的相似程度达到一定程度的时候，人类就会突然变得反感与害怕它们。

那么，我们怎样做才能让大家完全克服“恐怖谷效应”，让所有人都能把我的人形机器人当作一个理想的聊天对象呢？

通过直觉我们找到的答案是，将人形机器人的外形设计得不具有辨识度，也就是说让大家看不出它的年龄，也分辨不出其性别。

首先，将机器人的脸设计成完全的左右对称就能够模糊性别。基本上美丽的脸都是左右对称的。杰尼斯事务所的偶像的脸无论换作男性还是女性都能成立，因此他们即便扮女装也很漂亮。

其次，将成年人脸的比例结合儿童的比例设置，比如将机器人的头脸比按照小孩子的比例来制作，而脸则设计得稍微成熟一些，从外貌上就不容易判断出年龄了。

这样一来，虽然还能看出是人类的样子，但是难以区分年龄、性别的模糊设计，就会使得机器人看起来像一个完全没有个性特点的人类。

这时，人类会将缺失的信息全部通过自己的想象来补全。

仅将声音设计得非常像人类，那么听到的人就会通过这个声音去想象对方的样子，仿佛那个人真的就在自己眼前一般。而通过声音想象对方的样子时，大家往往都带着正面积极的情绪。

大家想想看，我们平时给客服中心打电话的时候，从来都不觉得客服人员是面相丑陋的男生或女生。

我相信，大家给客服打电话的时候内心从来没有产生过“这个人真丑”的想法。反而大家往往会产生“她似乎很可爱”或者“他似乎挺帅的”这样的想法。这很正常，这就是人的一种特质。

人类会将缺少的信息全部以积极正面的想象进行补足。因此，模糊了性别和年龄的机器人才能够非常顺利地被人类接受。

按照这个思路，我们制作出了“Telenoid”。

深化人类与机器人关系的Telenoid计划

2015年，我成立了一家名为“Telenoid计划”（现更名为Telenoid Care）的公司，主要从事与老年人聊天服务相关的业务。

刚开始显现出痴呆症状的老人其实不会与机器人交流。不仅机器人，他们其实也不会与人类交流。

但是面对这款模糊了性别和年龄的机器人“Telenoid”时，这些老人却能够滔滔不绝地聊起来。

并非只有日本这样，全世界都是如此，没有例外。无论在哪里做实验，我们得到的结论都是相同的。而且不仅是老年痴呆症患者，连自闭症儿童也会

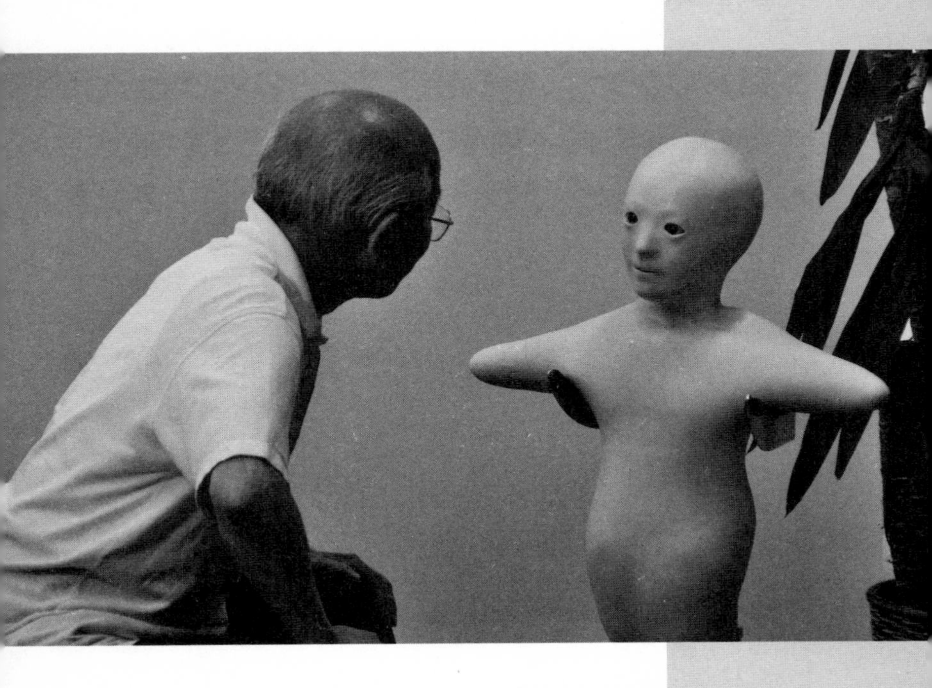

大阪大学与国际电气通信基础技术研究所研发的小型远程操控机器人“Telenoid”。Telenoid Care公司正利用“Telenoid”面向护工展开如何与老年痴呆症患者交流的研修活动。

跟“Telenoid”好好聊天。

事实上，并不是所有人都能接受人类的样子。自闭症儿童或者老年痴呆症患者面对人类的样子会感到巨大的压力。

但如果面对的是机器人，他们便可以自然放松地交流。我们在丹麦、日本都进行了实验，也得到了相同的结果。可以说，这款机器人的效果显著。

Telenoid计划收获了巨大的成功。并且，看到Telenoid这么成功，也促使我们想将机器人的样子弄得更简单。

不仅如此，我们还通过Telenoid与人的关系总结出的经验，针对该如何制作一款与人类高度相似、能够很好地引发人类的想象、所有人都能产生亲近感的机器人这些问题进行了深入研究。

最终，我们得到了“Hugvie”。

在Hugvie身上感受到的存在感

Hugvie与当初我的那款人形机器人一样，很多人都会感受到它强烈的存在感。那么，重现存在感的最基本条件到底是什么呢?

我的回答就是“Hugvie”。我们已经将它商业化了。

其实Hugvie是一个抱枕。人们可以将智能手机放在它头上的口袋里进行通话。这样一来，就能跟任何一个可以通话的人拥抱了。大家能明白我的意思吗?

如果想跟某个人拥抱的话，只要送给对方一个Hugvie然后拨通电话就可以了。电话里的声音会勾起

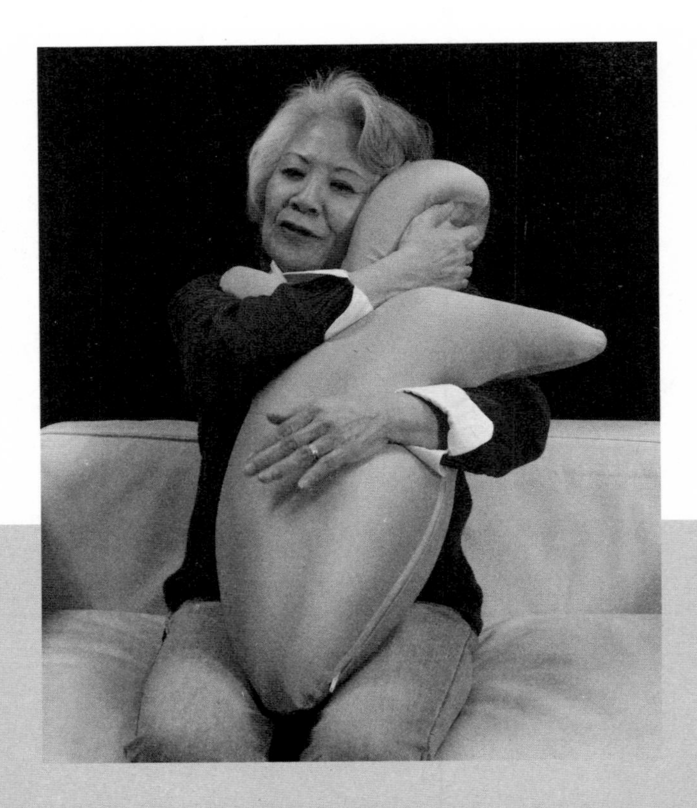

国际电气通信基础技术研究所研发的能够远程传递存在感的“Hugvie”，在Telenoid等研发基础上，进一步将造型简化后得到的抱枕型通话工具，人们可以将手机放到抱枕头部的口袋里进行通话。

人们积极正面的想象，这一招绝对管用。

不过，大家可不能用它来做坏事哦！

虽然不让大家用它来做坏事，但是使用它做有些难以启齿的事确实比较方便，大家倒是可以试一试。

我们用它做了各种实验来检验其效果。

比如，其中一个实验是让人用Hugvie和普通的手机都打15分钟的电话，然后通过血液检查、唾液检查监测通话前后人体内的激素变化。

实验结果显示，用Hugvie打电话后，一种叫作“皮质醇”的压力激素显著减少。也就是说，Hugvie具有令人放松的效果。

此外，Hugvie应该也能帮助催产素等增加，不过我们还在进行实验验证。

从结果来看，Hugvie是一款抱枕，既能听到声音，也能有触感。

一旦通过这两种表现方式呈现出与人类相似的特征，我们就会立刻在这个东西身上感受到存在感。不仅是声音与触感，其他诸如外貌与触感、气味与触感等的两两组合也是一样的。

所以，只要将对方使用的香水喷在Hugvie上，就会感觉仿佛抱着那个人一样了。

当然，为了完全证明这个理论，我们还需要花费很长的时间。但是，作为人类识别物体和人的存在感的原理，我认为可以把这个看作一个非常有意思的假说。

Hugvie可以让孩子安静下来

我不知道大家还记不记得，小学一年级的时候有一种被称为“一年级学生病”的东西。

对于小孩子来说，一直到幼儿园，他们都被家长或者保姆细致入微地照顾着，但上了小学后突然进入集体生活，便会感到不安。一个班里，坐在前面的小孩子可能会听老师在说什么，但坐在后面的孩子则完全没有在听。

在这种状态的班级上，我们给所有的孩子都发了一个Hugvie，让无论坐在哪里的孩子都能够通过Hugvie听到老师的声音。于是，所有的孩子立刻变

利用Hugvie做实验的样子。

老师给马上要升入小学的35名儿童读故事时，平时只有一半的孩子能认真听讲，但用了Hugvie以后所有孩子都能够认真听讲了。

得能够安安静静地听老师讲话了，并且成绩也有了提高。

此外，我们还将Hugvie带到了有精神方面障碍的孩子所在的特殊学校，结果证明，这些孩子的记忆力因为用了Hugvie而有所提高。

由此可见，Hugvie真的效果很棒。市面上正在出售Hugvie，希望大家能够购买。虽然1万日元的售价稍微有些贵，而且有人说现在的人不太热衷于交男朋友或女朋友了，但如果在座的各位渴望获得良缘的话，有了这个Hugvie，说不定能够很轻松地交到男朋友或者女朋友。

机器人取代人类是否有问题

这个话题恐怕10年后也难以得出定论。

当然，今后会不断有各种机器人面世，但究竟如何完善机器人才能重现人类的存在感、人类的情感是什么、人类的欲求是什么、人类的自我认知又是什么……这诸多的问题恐怕用10年的时间也解决不了。不过，我觉得解决这些问题应该也用不了100年那么长的时间。

那么反过来，100年后人类又会面临怎样的新问题呢？我认为届时最大的问题可能是人类工作量会减少。我认为这个减少不是一点儿，而是巨大的。接下来的100年内，各种各样的机器人将不断问世，也将不断代替人类做各种各样的工作。

那么可能有人会问了，人类工作量减少有什么问题吗？对于这个问题，我们可能要重新回顾一下历史。

100年前，人们只要会读写就能马上投入工作。但现如今呢？大家上了大学、读了研究生，即便工作后还在不断学习。可以说，我们的大部分人生都用来学习了。很明显，对于我们来说，工作只占了很少的人生份额。

至于今后会怎么样，我认为可能今后人类会用一生中八成左右的时间来学习。

那时机器的系统肯定比现在还要复杂，但因为技术不断在进步，所以人类只需要依靠非常先进的技术和一点儿工作时间就能够保证现在的生产效率。

很久以前，人们需要靠双手搬运货物，随后发展到用汽车运输货物，这样想来，人类工作的效率已经提高了1000倍左右，因此即便工作量减少也不会造成生产效率的下降。

不过我说的受教育时间占人生的八成是平均值，有的人可能一生只用六成的时间来学习，但有的人可能一生都在学习。

那么，一生都在接受教育的人该怎么办呢？其实只要社会能够提供足够的保障即可。

我认为只要多工作的人能够多缴纳税金，社会就可以用这些税金去保障那些还在学习的人。因为最重要的其实是保证生产率不下降。

有人说再过50年，日本的人口会减半。虽然相关统计多种多样，但这个结果确实无误。“团块世代”（“二战”后日本出现的第一次婴儿潮，即1947年到1949年出生的一代人）的那批人现在已经七八十岁了。这批人如果去世了，日本的人口便会骤减。

因此，工作人口已经减半了，再加上技术的进步，原本的工作量也会减少。但我刚才也说过了，最重要的其实是能够维持原有的生产效率。一个国家只要能够维持原有的生产效率，那么就能维持原有的税收。

和100年前相比，现在人们的工作量已经减少了很多，但大家并不会觉得有什么困扰。其实这是因为现在的社会能够很好地为大家提供保障和服务。

今后，机器人会代替人类工作，数量也会越来越多。

技术革新会扩大人的能力差

我们换个视角来看问题，由于人口急剧减少，所以必须制造出更多的机器人。但即便如此，可能依然无法保证像现在这样完善的社会服务。

人类对于机器人和计算机其实是会感到不安的。这也是人类历史上一直在重复的事实。

请大家回想一下世界史。工业革命中的卢德运动就是人们认为机器抢夺了人类的工作，人类为抗议而破坏机器的一场运动。

从历史长河来看，卢德运动不过是弹指一挥间的事情，那之后的技术依然欣欣向荣地发展至今。

其实我想说的就是这么一回事，大家需要重新思考一下这个问题。

这是现在的事情，或许我们今后依然要面对。

首先，请大家明白人的能力是有高低之分的。技术越发达，越需要能力的支撑，因此人类的能力也会随着技术的发展而提高。

无论是能力高的人还是能力低的人都会进步。

但是，这个结论也不完全成立。

我之所以这么说，是因为有的人能够理解今后的技术，有的人无法理解。能够完全理解今后先进技术的人，其能力也会一直很高，并不断提高。但无法理解这些技术的人则完全接受不了技术进步带来的便利与恩惠。因此，二者间的差距也会越来越大。

这也是造成不安的根本原因。

再加上技术并不是以固定的速度发展变化的，而是呈指数级变化的，因此，在技术突飞猛进的同时，人与人之间的差距也会越来越大。

软件产业的两极分化将加剧

差距不断扩大的结果也导致了“两极分化”的出现。

比如，能够研发计算机、熟练运用机器人的人就会到硅谷工作，年收入达到2000万日元。

之前我曾听说，在某个国际学会上靠一篇图像处理技术相关论文而获得最佳论文奖的人，被一家企业以数亿日元的年薪聘用。这个年薪可以匹敌优秀的棒球选手了。

而在美国中西部从事农业的人则拿着低廉的工资。或许这也是特朗普能够当选美国总统的一个原因。

但是，只要技术不断进步，两极分化的出现就是必然的。遗憾的是，我们完全无法避免这种两极分化。比如，今后的人类肯定会分成能够研发机器人的人和受机器人照顾的人，或者听从机器人指令的人。

那么我们该怎么看待这种状况呢？

虽然目前还没有答案，但前阵子欧盟委员会曾就这一议题展开了讨论，试图找到这是不是人类进步的答案。

但遗憾的是，作为人类进化的一个过程，目前对于因技术的发展区分出能够适应并进步的人类和不能适应而无法进步的人类等问题，仍没有得出一个确定的答案，今后仍要深化讨论。

但在当今社会中，我认为即便存在两极分化，也会有解决的方法。

正如我刚才所说，只要社会能够照顾好那些必须一生都要学习的人就可以了。

此外，我再补充一点，日本其实是全世界两极分化发展最慢的国家。

两极分化发展的最大原因是软件产业。因为在软件产业中，一个天才便能将所有的利益据为己有。他只需要复制自己研究出来的东西就可以创造利益了。

复制粘贴只要一瞬间就能操作完毕，因此软件产业的两极分化非常严重。

此外，我认为金融行业亦是如此。有些人不用工作，只需要不断周转资金就能获取巨额的利益，这也是造成两极分化的一个原因。

而这两个行业，日本并不擅长。

总体来说，日本比较擅长制造业，对于这种虚拟的业务并不擅长。因此，日本的两极分化是全世界最不严重的。再加上，日本是岛国，家族间的关系紧密，大家会义不容辞地互相帮助和扶持。

与日本相比，那些整体的社会风气都是为人处事自私自利的国家，两极分化则会越发严重。

因此，日本也就成了两极分化并不严重的国家。从这个角度来看，我认为日本今后也不会遇到两极分化问题。

两极分化不如其他国家严重的日本

然而，其他国家的社会差距还是巨大的。

非常贫穷的人、移民他国后只能获得微薄薪水的人与金融行业、软件行业高收入的人之间的差距非常大，而且处于社会上层的人往往不会直接帮助社会底层的人，这也是一个大问题。

因此，我认为，创造一个消灭两极分化的社会才是人类真正的进化。真正的进化应该在其他层面发生。

话虽如此，如果再怎么努力也无法彻底消除两极分化的话，或许就意味着两极分化本身就是人类进化过程中的必经之路。

但正如我之前所说的，并不是只有研发机器人的人才叫人类，人只要活在这个世界上就是人类。人类需要不断寻找“人类究竟是什么”这个问题的答案。

没有其他生物能够像人一样，向自己提出问题。

我认为我们的人生在向自己提问这件事上便拥有了最大的价值。特别是在日本这个环境中，可能很自然地就会让大家思考这个问题。

站在世界的角度来看，探讨“为何日本没有严重的两极分化问题”是一个重要议题，因此我也希望大家能够重新思考这个问题。

第4章

1000年后的人类

思考1000年后这件事意义深远

最后的最后，我要讲讲在1000年后的未来，人类会进化成什么样。

虽然要探讨今后10年、100年甚至1000年后的话题，但其实100年后、1000年后的未来已经跟我们没有关系了，那时世界会变成什么样我们只能依靠想象。另外，现在的社会、生活中，有些部分已经开始逐渐显现出1000年后世界的样子了。

虽然有人可能会认为“我现在考虑1000年后的世界也没什么意义吧”，但其实1000年后发生的各种事情并不是到了1000年后那个时间点突然就发生改变的。

一旦意识到现在已经出现了种种征兆，并在一点点地发生着改变，是不是就会觉得思考100年后甚至1000年后的事情也并不是一件毫无意义的事了呢？特别是科研方面，如果想要搞清楚某件事，虽然现在可能觉得要花费1000年才能实现，但如今科学技术也在飞速发展，说不定10年后就实现了。

这样想来，思考1000年后这件事也就不是荒诞无稽的话题了。

比起基因，由技术造成的能力扩张更快速

大家知道人类有两种进化的方式吗?

这两种方式分别依靠基因和技术。

毕竟我们人类是地球上的生物，所以自然会通过基因进化。此外，技术也会加速人类能力的提高。

那么，通过不断改良基因，人类是不是就能直接去往月球了？我觉得也不太可能。

人类应该是直接去不了月球的。

之所以这么说，是因为由蛋白质构成的有机生物体难以抵抗辐射。所以人类无法直接在宇宙空间

漫步。

虽然无法通过努力改良基因去往月球，但人类可以利用技术的力量去月球。这便是技术发展带来的能力扩张的厉害之处。

而且技术带来的进化比基因造成的进化速度要快很多。

对于人类来说，技术作为能力扩张的一种手段具有绝对的优势。

500万年前人类诞生，1万年前人类开始农耕生活。自那时起，人类的技术迅猛发展至今。与此同时，人类的能力得到了迅猛的提升。

以现如今的计算机性能来看，它们现在的计算能力恐怕早就超过了以前人类的计算能力，它们有更高的内存容量，在某些方面完全超越了人类的智慧。这便是技术带来的人类进化。

技术进步融入人类的基因

人类的定义尚不清楚。

我们为了寻找人类的定义而开展研究，在许多尚不清楚的事情中有一点可以确定的是，人类其实是可以使用道具、利用技术的猴子，或者说动物。

这个定义是非常明确的。如果剥夺了人类的技术和道具，人类就会变成普普通通的猴子。因此，如果有人问我“到底机器人和人类有什么区别”时，我会回答“其实差不多”。

机器人类似于技术的结晶，人类的定义中明明就包含了技术，而这个问题却让我比较人类与机器人的技术差别，我觉得这种问题很奇怪，所以我才会回答“其实差不多”。

至少从我们人类现在的活动来看，人们坐在高楼大厦中，穿着衣服，戴着眼镜，用着计算机，身边全都是人工制造出来的东西，京都内已然毫无纯粹大自然的地方了。

也就是说，我们现在的活动已经完全依靠技术支撑了，仅依靠人类肉体完成的部分已经所剩不多。

甚至可以说，我们身上现在九成左右是技术，剩下的一成左右才是动物本身的部分。虽然我这个说法并没有明确的调查根据，但我感觉是这样的。

人类其实就是能够利用技术的动物，这一点至关重要。技术开发绝不能停下来。依靠技术开发，人类才能不断地增强能力。人类拥有通过增强能力生存下来这种刻入DNA里的使命感，也正是这种使命感驱使着人类不断增强自己的能力。

而能帮助人类增强能力的新技术对于想要生存繁衍下去的人类来说则是非常具有吸引力的东西。掌握新的技术让生活更加富足是生存的目的，也与经济的发展密切相关。我认为对于普通人来说就是这么一回事。

不过在我看来，我更希望人们能够考虑在那之前的事情，也就是“人类究竟是什么”这个问题，我希望能够通过这些技术思考人类本身。

无论怎样，正因为人类求生本能的驱使，技术在人类历史中才几乎不会衰退。虽然也有卢德运动这种例外，但基本上可以断言技术是不会衰退的。

摩尔定律不停止

聊到这里，我就想到了“奇点”[①]这个话题。奇点是技术变革点的意思。

这个观点认为，迄今为止，技术都是随着时间的推进成正比地进步，但从某个时候开始技术将成指数级、爆发性地进步。这个结论的根据是，假如今后的计算机可以制作出新的计算机，那么计算机将抛下人类而加速发展。

---

① 奇点，原本指无法归类于一般标准的“特殊之点”。在这里指“技术奇点”，即因人工智能超过人类智慧，社会将发生不可预测的变化。人工智能的权威雷蒙德·库兹韦尔主张2045年将迎来技术奇点的到来。

这里就要提到摩尔定律[①]了。英特尔公司的创始人摩尔曾预言每隔18个月计算机的性能便能提高1倍，我们认同他的这个说法。另外，我们也曾以为18个月的时间已经是极限了，但其实并非如此。即便是现在，计算机也以1年1倍的速度不断提高性能。如果按1年提高1倍来计算，就意味着十几年后将提高近1000倍。

现如今的计算机运算速度到底有多快？其实现在计算机已经可以在所有游戏中赢过人类了。不论是国际象棋还是围棋的人机大战，都是计算机获胜。

现在，在智力游戏中也都是计算机更强。股票交易要是没有计算机根本无法开展。计算机的能力如此强大，以至于没有人能够在规定的工作中击败计算机，例如计算工资。

---

① 摩尔定律，英特尔公司的创始人之一戈登·摩尔于1954年提出，他认为半导体芯片集成的速度每18个月就会提高1倍。事实上，芯片集成的速度不断在加快，价格也有所下降。近年来，这一速度略显放缓，但也有说法称摩尔定律依然有效。

包括“分析画像中的东西是什么”这样的问题，计算机也远超人类。和人类比起来，计算机的识别更加准确。

计算机可以替代人脑吗？

当然，还未被定义的人类的功能还有许多，我要说的是1000年后的事情。大家想想看，如果只要十几年的时间，计算机的性能就能提高1000倍的话，那么100年后会提高多少倍呢？

如果性能提高到2的100次方、2的1000次方，计算机的运算速度将会快到无法想象。这样发达的东西怎么可能输给人脑呢？

计算机制作计算机这件事现如今已经实现了。当一台计算机生产出来后，就可以利用它设计新的计算机了。当然，这个过程中也需要人类智慧的参与，但从某种意义上来讲，奇点已经出现了。

总体来说，人类通过这些技术不断进化。也有观点认为，进化应该存在一个最后关卡，到了那一步便不会再进化了。而经常被提起的便是大脑，究竟大脑能否被计算机替代呢？

可能要到1000年后人类才能知晓这个问题的答案，所以我现在也无法下定论。但我认为如果计算机的速度比现在快2^{1000}倍的话，那么大脑被计算机替代也并非一件无法实现的事情。甚至快的话，有可能10年后就实现了。如果人类的大脑功能非常有限的话，那么我感觉人类的大脑根本没有赢过飞速发展的计算机的可能性。

因此，我才说像人类大脑这样的东西，10年、20年，最迟100年以内应该就能研发出来了。随着这项技术的研发，人类有可能用这个东西替换自己的大脑。

对于人类的定义，肉体不是必要条件

接着上面的话题，如果人类的大脑真的被替换了，那么人类就变成了技术的结晶。也可以说，人类变成了机器人。

如果人类的身体使用的都是人工脏器，就意味着抛弃了有机物质和蛋白质，我认为这就意味着人类变成了机械，我将之称为“无机物化”。

也就是说，人类今后更进一步的进化就是将人类的身体机械化、无机物化，这或许会成为未来人类的目的。

如果今后真的发明了可以让人更长寿的技术，并且一部分人真正使用了这些技术，那么所有人都会想要靠这项技术让自己更长寿。

例如，大家都在使用抗生物质，但它并非自然物。看到别人在用，人们很容易就会产生“那我也要用”的想法。这样一来，我感觉像用人工脏器替换人体内原本的器官、通过在大脑里植入芯片拓展能力这些事情，其实就在抗生物质使用的这条延长线上。

那么，这些事情现在并不是没有发生。

现如今类似的事情正在不断发生，至少在对于人类的定义中，我感觉其实并不需要肉体。

举个例子，即便一个人使用人工的手脚活动，他也百分之百是人类，对吧？如果有人被问“残奥会的选手是80%的人类，还是70%的人类”这样的问题时，又该如何作答？

无论怎么想，他们都是100%的人类。并且，他们有时还会比健全的人更能发挥出卓越的运动能力，比普通人更耀眼和帅气。因此，我甚至认为他们如果不是100%的人类，那肯定是120%的人类。

digi009/PIXTA

在残奥会等田径赛场上使用的假肢。制作材料经常选用重量轻且结实的碳纤维。在跳远等一些田径比赛中，残奥会与奥运会的纪录已逐渐缩小差距。

对于这个观点，我相信大家都会认同。

我说了这么多，是想告诉大家，其实肉体对于人类的定义来说并非必要条件。也就是说，即便没有肉体，我们也能够成为100%的人类。

人类进化的最终形态是回到无机物

通过这一系列分析，我认为人类从无机物诞生，最终也会回到无机物。

从地球的历史来看，45亿年前地球诞生之初，地球上只有无机物。后来，有机物以一个极其偶然的契机诞生，而人类便是有机物的最终进化形态。

正如大家现在所看到的，人类现在有九成的部分已经机械化了。现在的人类是在相当先进的技术支持下生活的，而非仅靠有机物生活。

再过100年的时间，从地球的历史来看，这不过是弹指一挥间，人类或许就会机械化，甚至完全无机物化。

但是，从有机物诞生到这个世界上的意义和人类诞生到这个世界上的意义来看，说人类努力想要成为机器人似乎也说得过去。

拥有复杂分子结构的有机物对环境的适应能力非常强，但这个复杂的结构非常脆弱，不能永久维持。如果分子结构是由蛋白质组成的，那么撑上120年左右就是极限了。

如果120年的时间是极限，大家知道这意味着什么吗？

如果太阳发生异常变化，地球急剧变暖，有机物的身体便会被摧毁。

包括我们人类在内的生物只不过是单纯地在玩一场生存游戏，如果不能适应环境的变化，就会从地球上消失。或许，最终能够在地球上生存的也只有机械了。当然，我说的是在一直保持现状的前提下。

或许是为了成为无机物的智慧生命体而进行机器人研究

我认为人类的有机物身体或许是为了让物质的进化、智能化加速的一种手段，或许我们人类最终会再次变回无机物。

如果不这样，我们就不可能直接去往月球。当然，现如今乘坐宇宙飞船，人类已经可以去往月球了。

我感觉如果人类的寿命不能变得很长很长，不能拥有可以承受宇宙空间的身体，不能像现在去大阪那样轻易就可以去往邻近的行星的话，人类今后就无法承受宇宙规模的环境变化。

这样想来，我觉得可能我们对机器人如此感兴趣、想要通过机器人弄清楚人类本质的根本意义就在于此。

从有机物存在于这个世界上的意义、人类存在于这个世界上的意义来看，我们或许正是因为拥有成为无机物的智慧生命体这个使命，才对先进技术和机器人这么感兴趣。

虽然对于这个问题我还给不了大家一个定论，但作为最后一课，我说这些就是希望能让大家对这个最深刻并且极其重要的问题进行思考。

因此，希望大家一定要好好思考。

话虽如此，可能这个问题的答案很难找到，所以过度思考会让大家觉得很烦很累。

即便如此，如果能让大家从人类存在于这个世界上的意义出发，重新思考机器人研究的乐趣，我将不胜荣幸。

那么，今天的课就到此为止吧。

第5章

答疑解惑

提问

人类是否只有作为DNA 进化的暂时载体这一个意义？

学生：在您刚才的授课中，您说，人类的存在是DNA和基因作为一种生存手段的过程，我对这个说法印象深刻。

那么在您看来，人类是不是只有作为DNA进化的暂时载体这一个意义呢？

石黑：DNA的进化今后会被利用到何种程度，目前仍是未知的。因此，当身体不断机械化、生物的身体被替换成机械时，可能会拥有与DNA进化不同的进化手段。不过我也不知道会变成什么样。

学生：那您说人类只不过是其中一个过程，这是什么意思呢？

石黑：当然，我认为现如今人类的身体还处于进化的过程中。

因此，我认为生物的进化，或者说物体的进化其实是智能化。在智能化不断推进的基础上，在这个进化的过程中物体正好成了有机物而已。

至今，人们只将有机物中的动物的进化作为研究对象，但今后应该会将包括机械在内的有机物、无机物都纳入进化的图谱中。

我并不是很明白为什么必须将进化的问题限定在有机物身上，为什么必须限定在动物身上。或许是因为最初描绘出进化图谱的人就是那样做的，但我认为今后将无机物等各种各样的东西、有机物以外范围更广的东西都纳入进化图谱才是正确的做法。

提问

进化这件事本身有意义吗？

学生：刚才您提到了进化的话题，那么您认为进化这件事本身有意义吗？应该向哪个方向发展呢？

石黑：对于现在生存下来的生物，追溯它们过去的源流以及从古至今的变化才叫进化，所以这个话题的基础与其说面向未来在进化，倒不如说是从结果倒推发生了怎样的进化。因此，今后会变成什么样我也不知道。

关于是否有意义这件事，其实就是要探讨过去的记忆是否有意义。

那么，研究过去我们人类究竟走过了怎样的道路这件事是否有意义呢？我认为并非完全没有意义。虽然我认为这样做可以或多或少帮助我们预测未来，但并不意味着我们能够看清未来。

或许有的人可能认为进化本身并没有意义，或者想让现在所有的进化都停止，只要能够维持如今和平的世界就可以了，但可能生长在日本的人才会有这种想法，非洲的人也许并不会有这种想法。

比其他国家贫困的国家想要变得更富强，处于弱势的人想要变得更强大，这都是人之常情。

现在生活在富强且安全的环境中的人可能觉得维持现状就好了，但如果不能让全世界的人都这样想，进化是不会停止的。如果出现了更努力、更强大的人，可能我们轻而易举就灭亡了。

从结果来看，强大的人类才能生存下来

学生：对于事实存在的进化等体系，我是否可以认为其实是人类擅自做出了各种解释，并试图将人类自身生存至今这件事诠释得看起来有意义呢？其实人类生存至今本没有意义，但人类为了自己，擅自让这件事有了意义，认为自己是进化之后的存在，认为人类本身就有意义，或许这件事也披上了宗教的外衣，对吗？

石黑：我并不认为人类的存在拥有特殊的意义，我认为不过是强者生存下来了而已。也就是说，只不

过是能够很好地适应环境的人类生存下来了。而从结果来看，碰巧是人类这个种族罢了。如果到其他行星，可能像人类这样的生物根本生存不下来。

是否有可能让计算机变得逐渐接近有机物？

学生：刚才您讲到人类会逐渐变成无机物这个话题，在我看来，计算机是由数字逻辑、电路基本单元组成的，所以像人类那样具有模糊性，或者实现人工神经网络[1]的模糊性这件事其实非常困难。那您有没有想过，是否有可能让计算机变得逐渐接近有机物呢？

石黑：从原理上来讲，现在有这样的研究。

举个例子来说，计算机与有机物的最大差别是生物波动[2]。

我们人类是由分子构成的有机物。分子会因为热波动而时常保持震动。生物形成了通过充分利用热波动而直接控制波动状态的构造。

另外，计算机通过电压制造出一个0伏和5伏的

---

① 人工神经网络，模拟人类大脑中的神经细胞的构成，人工将其复制出来的概念。在深度学习中，计算机内部组成了多层的人工神经网络。

② 生物波动，大阪大学等研究机构证实，大脑及基因等生物体会利用热自然导致的热噪声产生的热波动，使自己仅用少量的能量便能够动起来。

状态以及一个没有噪声的纯净世界。而计算机本身其实非常需要能量。

虽然人脑和计算机并不适合单纯拿来作比较，但是有个推算结果称，人脑在思考的一瞬间功率为1瓦左右。从休息状态转变为轻度思考状态需要1瓦就够了。

但是，目前我们还没有研发出与人脑具有相同性能的计算机。比如，地球模拟装置需要5万瓦左右的功率，也就是说，人脑与计算机的能量差高达约5万倍。可见，人脑和计算机之间有着极大的能量差。而且生物因为具有波动形成了非常复杂的计算，所以也有可能进行强大的计算。

我们学习了这些原理，并试图用这些原理创造无机物。虽然还处于研究阶段，但因为无机物也有波动，只要我们能够充分利用这一点，用和有机物同样的原理控制无机物的话，就能创造出效率更高的东西了，而且这个东西还不容易损坏。

因此，我认为用有机物制作计算机这个做法是可行的。比如，曾经就有过用生物基因让计算机进行计算的研究项目。

虽然实现的可能性是有的，但我感觉这样的计算机最终还是会遇到棘手的问题。因为无法永生或者轻易就能被放射线摧毁的有机物，在涉及长久寿命这样的问题时往往处于不利地位。

学生：那么比起找到复杂性或者波动那种东西，是不是用无机物创造更有效率的东西更好呢?

石黑：我认为如果是波动的话，用无机物应该也能创造出来。我的直觉告诉我这并不是有机物特有的。比如，量子计算机其实也是用无机物做出来的，不是吗?

学生：我明白了，非常感谢您。

提问

如果人类保持现状，仅技术进步的话，会不会20年后就没有人类了？

学生：我有个问题想请教您，我个人认为如果人类保持现状不变，只有技术进步的话，可能1000年后或者100年后就没有人类了，人类或许会在30年后甚至20年后就因为核武器或者生化武器而消失。想问问您对此的看法。

石黑：为什么人类会消失？

学生：我感觉随着军需产业的扩大，说不定毁灭性战争就会在什么地方爆发呢。

石黑：你是想说可能有谁会按下那个毁灭地球的按钮吧。

但如果真是那样，那只能说这就是人类的宿命了。技术的进步是在正负两极间大幅摇摆的。

所谓技术，其实就是力量。现在的核武器能将地球摧毁好几次。

又或者，现在网上出现的恶评甚至能造成很多人死亡。由于现在信息传递能力的突飞猛进，仅仅在网上散布不好的信息，就会让世界上很多人困扰不已。

在使用这些技术时，我认为还必须注意能否很好地设定人类的道德标准或者说社会规则。与此同时，也必须慎重考虑先进技术的使用方法。

我认为，如果做不到这一点，人类就会灭亡。但在现阶段，人类还算做到了。

不过，如果今后人类有理由不再遵守这些道德准则的话，我现在也猜不到会是什么样的理由。

但我认为，现在人类能够遵守这些道德准则，今后就有可能遵守。我不认为人类会那么愚蠢。

现在也有想要阻止核武器使用的趋势。因此，除非是权力至高无上的人做决定，否则想要人为地摧毁全世界是不可能发生的。

那又涉及是否会让那个权力至高无上的人做所有的决定。我认为也是不会的。总体来说，我认为像好莱坞电影里那样的事情不会在现实生活中发生。

至少现实就是计算机是计算机、机器人是机器人，如果你不想用，不用就可以了。按理说，人类应该是不会玩火去碰触危险的部分的。也就是说，最终是我们人类究竟能变得多么聪明的问题了。

但是，今后可能会出现计算机使用计算机的情况。比如，今后能够很好遵守人类道德准则的计算机可以自主利用其他计算机做事情。虽然我现在不能解释得很清楚，但总体来说，我认为人类不是傻瓜。

提问

世界上理解先进技术的人与不理解的人逐渐两极分化，但为什么在日本这个现象不严重？

学生：非常感谢您今天为我们带来这么精彩的演讲。刚才在演讲中您提到，随着技术的进步，会逐渐分化出能够理解先进技术的人与不能理解的人。

您也说了，其实在日本这种两极分化现象并不是那么严重。那您的意思是日本能够让所有人都广泛、平等地接受教育，还是日本社会能够同时保障制作机器人的人与受机器人照顾的人呢？

石黑：我明白你的问题了。刚才我说的这部分内容可能有些杂乱无章。

我认为现在的两极分化主要出现在软件产业与金融业。这与机器人其实没什么关系。

虽然现在有一些代表性的机器人被研发出来，但研发机器人可比软件研发所需的人力多得多。

像硬件这样的产品，必须收集原材料、生产零部件，要做各种各样的事情。因此，制作一个机器人其实需要100人甚至1000人左右参与进来。

但是，软件则不同，只要有一个天才，那么他就能全部搞定，几乎不需要花费多余人力。

因此，这个天才才能拿到1000人份的工资。与之相对的是，同样的钱在机器人生产产业要分给1000个人。从这层意义来看，我认为机器人产业对两极分化其实造成不了太大的恶劣影响。

但今后，如果技术不断升级，乃至发展到人们可以轻松制作出一台机器人，如果放任不管，甚至可能变成制作一台机器人跟开发一款软件一样轻松的话，届时可能就会区分出制作机器人的人、被机器人使用的人甚至接受机器人指令工作的人等。

即便现在的生产线上，也是由机器人管理生产工序的，然后工人按照工序劳动。整条生产线的成立，既有在生产线上工作的工人，也有设计生产线上产品的设计师。

从现状来看，机器人还不会造成太大的两极分化，但从长远的未来考虑，机器人可能与软件产业拥有相同的一面。但日本的现状是软件产业发展极其停滞，因此才造成了两极分化的不严重。

提问

如何才能让『岛国假说』从日本推广到全世界？

学生：像“岛国假说”这样的东西，怎么做才能将之从日本推广到全世界呢？

石黑：我认为可能自然而然就推广开来了。因为会自然而然地推广，所以只要能够在网络上让信息更公开，不断消除不平等，这就是必然的结果。

如今有些地方还隐藏着许多事情。有些地方存在奴役现象，但因为大家都看不到所以也就不了了之了。如果在北非等地方通过社交媒体公开这种信息，可能会立刻引发暴动，推翻现在执政的政权。

如果在网上公开更多的信息，全世界的人们都会像身处岛国一样，都互相认识了吧。于是大家就会开始思考，为什么同样都是人，但是差距却这么大。这样一来，人们也会采取消除不平等的行动。

因此，我认为大家应该更积极广泛地使用网络。

学生：也就是说，我们要积极地在网上发布信息，对吧？非常感谢您的回答。

提问

对于机器人观，有什么作品对您产生了影响吗？

学生：非常感谢您今天为我们带来这么精彩的一次演讲。

我想向老师您提的问题是，您这次的演讲主要围绕“人类未来究竟会向怎样的方向发展”这样一个很基本的话题展开。我个人很单纯的一个感想是，您的演讲内容宛如科幻电影或者科幻小说的情节。

而且，我听说现在很多活跃在业界的机器人工程师其实都受到了《铁臂阿童木》这部作品的影响。您刚才在演讲中也介绍了舞台剧，您说在实际的舞台剧中可以让机器人展现出与人类高度相似的特征等。您今天的演讲是不是也跟人类创造的艺术作品有关系呢？石黑老师，是否有什么作品对您的机器人观和人类观产生了影响呢？

石黑：嗯，是这样的，我认为艺术的感觉对于科学技术来说非常重要。

艺术其实是通过人的直觉来创造东西的，对吧？在研究基础上的发现，也是找到别人不知道的东西。

其实最终也必须将课本中学到的知识、过去的论文等全都抛开，靠自己的直觉去寻找。

也有获得诺贝尔奖的学者说，自己其实是偶然发现某个东西的。当然，这种偶然是建立在他们付出了极大努力之上的，但最后其实还是靠直觉。

因此，我认为没有艺术感觉的人或许并不适合搞研究。

也受到过科幻作品的影响

石黑：同时，我认为直觉的一个重要来源是科幻作品，或者“未来或许会变成这样”等人类的想象力。

比如，手机为什么会做得这么小巧？外形怎么才能看起来更酷炫？其实在科幻的世界里都有直接的描写。平板电视现在已经做得非常薄了，大家为什么不会产生“不对，这个东西做厚了才厉害呢”这样的想法呢？总之，我们从科幻小说中学到的东西和想象激励了研究人员，让他们认为墙上挂着这样薄薄的平板很酷，科幻世界中想象出来的东西成了研究者的动力，他们由此构建出现在世界的样子。

也就是说，与其说世界按照它应该成为的样子在演变，倒不如说我们把世界创造成了自己想要的样子。

由此，受什么影响这件事就至关重要了。让想象出来的东西成为现实是技术人员做的事情，而他们的想象来源于科幻作品我觉得也很正常。

那么，说到什么影响了我，其实我原本也想学艺术，我可能没有受到什么影响。

但是我有喜欢的作品。比如，我家就有《星际迷航》整个系列的DVD。特别是《星际迷航：下一代》，我每集都看了两三遍。对于里面所有的情节，我可谓倒背如流，Data少校的信息我全都能说出来。

我非常喜欢这部作品，但与其说我对这个作品痴迷，倒不如说是一种说不清的感觉。我认为《星际迷航》是非常优秀的科幻作品，但你要说我因为受了它的影响而做了什么，倒也不是。

反而是我本身就比较擅长写小说之类的东西。我还想过，如果当不上艺术家就当小说家。

小说对我们来说很重要。例如，我距离从国立大学退休只有10年的时间了。在接下来的10年里我能做的事情很有限，因此我在今后的思考实验中想要做更超前的事情。今天跟大家讲的内容其实更像思考实验的“原型”，最近我正在以此为基础写小说。

所以，与其说我受到了小说的影响，倒不如说我想写能影响别人的小说。我在小说中描写了人类在短暂的一生中稍微跳过了某些阶段后世界发生的变化。希望大家以后也能看看我写的小说。

提问

您是如何看待Geminoid的呢？

学生：对于Geminoid的可持续使用，我有两个问题想请教您。

在今天的演讲中您曾说过，与Geminoid接触的人会忘记他其实是个机器人这件事。但是您举的例子是落语机器人、演话剧的机器人，某种意义上都是生活中与自己无关的人，而且都是在某个临时的活动中使用的机器人。与之相对，如果是石黑老师您生活中认识的人或者长期接触Geminoid的人，我想知道他们是怎么看待Geminoid的呢？

第二个问题是，在听了您的演讲后，我想象中的Geminoid的样子是从制作成型以后就始终不变的。我之前也拜读过您的著作，看到您确实写了Geminoid仿照的模特们保持着与Geminoid一样的体形和面容。那么，我想问您，是否有想过研发一款能够显现出年龄增长或者外形变化的Geminoid呢？这是我想问您的两个问题，还请您回答。

石黑：我先回答那个简单的问题。

关于Geminoid是否会变老这个问题，首先硅这种物质随着时间的流逝是会变老旧的。只要放在那里不管，硅中的油脂就会不断减少，用硅做的皮肤就会渐渐下垂，看起来就像老奶奶的皮肤一样。

事实上，如果把人形机器人做成叔叔阿姨的样子，看起来会非常恐怖。而没有光泽、皱皱巴巴的老年人的肌肤，则非常像机器人。

也就是说，人形机器人差不多只能保持3年左右。3年后如果不给他们换新的皮肤，他们的皮肤就会下垂。由于硅也属于高分子物质，所以我觉得硅与同是高分子的人类皮肤具有很相似的特性。

但是，如果问人形机器人是否会在真正意义上变老，答案当然是否定的。

不过，由于人形机器人内部的机能也会逐渐老化，所以其实人形机器人还是有点儿像人类衰老的感觉。因此，如果想要让机器人更像人类，反而是让那个作为原型的人类变年轻这件事更难实现。

我从41岁开始就努力让自己保持年轻，但最近已经放弃了。

在这件事上还有一个怎样做成本更低的问题。我们还需要考虑究竟是让人形机器人“变老”成本更低，还是给他换张皮肤成本更低，又或者是让人类年轻10岁成本更低。

虽然差不多要到极限了，但一直以来都是让人类变年轻成本更低。一般情况下，只需要花费三分之一的费用就能维持相同的外貌了。我这里想说的其实是整容技术。不过不是削骨这样的整形手术，而是去除皱纹或者让肌肤重新紧致细腻的那种整容技术，一般来说，花费100万日元就能维持5 ~ 6年的效果，做完以后看起来像是年轻了10岁。

但是，我脸上的效果也差不多要消失了。我在刚上了一点儿年纪的时候做的，做完以后一下子就感觉自己年轻了，心情也特别好。外表变年轻，心态也会随之年轻。

比起人类自己，人类更容易信任人形机器人

石黑：另一个问题是“长时间与Geminoid接触会有什么样的感觉”，对吧？

最容易理解的例子是我在电视上做的《松子和松子》这个节目。

我们在大学做实验的时候会受到诸多限制。如果用人来做实验必须先通过伦理审查，而且必须召集足够多的实验者，然后才能写出论文。因此，不能轻易乱来。

但是在《松子和松子》这个电视节目中，可以说，我们痛痛快快地把想做的实验都尽可能地尝试了一遍。

比如，其中一个实验是“人类和人形机器人一起度过3天会怎么样”。这个实验非常有意思。

前排球选手大林素子第一天还跟人形机器人保持一定的距离坐下，第二天就坐到了人形机器人的旁边，第三天尽管她知道有人在操控这个人形机器人，但还是能够安然地在人形机器人身边睡觉。

甚至到后来她还感觉自己开始依赖人形机器人

人形机器人艺人“松子机器人”。这个人形机器人完全仿照松子・DELUXE的外形制作，成功复制了其表情和动作等。2014年12月在电视节目《松子和松子》中，以全球第一个人形机器人主持人的身份出演了节目。《松子和松子》为2015年4月至同年9月的固定播出节目。

了。我们都开始担心她与人形机器人的距离感过于亲近了。

之所以会这样，是因为如果对方是人类，就会涉及利害关系、猜疑心等各种问题，但如果对方是机器人，这种社交屏障反而会被消除。因此，能够证实：比起人类自己，人类更容易信任人形机器人。

比起人类自己，人类更容易对人形机器人感到安心

石黑：还有更有趣的事情呢。我在自己的书里也写了一个叫作“Geminoid F”的非常漂亮的人形机器人。“Geminoid F”的原型本人也非常漂亮，为了协助我们研究曾经常出入我们的研究所。

于是发生了什么事情呢？渐渐地，很多人开始表示比起跟原型本人聊天，更喜欢跟原型本人控制的“Geminoid F”聊天。

虽然原型本人非常漂亮，但是我们只能跟她成为普通朋友。然而如果聊天对象是“Geminoid F”或者

女性型远程操控人形机器“Geminoid F”。身高为165厘米，坐下时高95厘米。

是原型本人控制的人形机器人，即便抱住她，她也不会生气，社交难度可以说从一开始就很低，这会很容易令人产生亲近感。

这个怎么说呢，虽然有点儿难以启齿，但确实很容易让人产生能跟机器人有良好关系的感觉。

大家能明白我想说的意思吗？这种感觉就好像旁边坐着自己的恋人一样。虽然不一定所有人都会有这种感觉，但肯定有人会对人形机器人产生这种感觉。

在刚才的演讲中我也提到了，有自闭症的孩子或者患有老年痴呆症的老奶奶会更喜欢机器人，也说明很多时候机器人比人类更容易亲近。

虽然我们目前没有开展长期接触“Geminoid”会如何的实验，但我相信结果应该是不错的。

提问

在研究机器人与人类的关系时，您对人类最为感动的瞬间是什么时候？

学生：请问老师，您在研究机器人与人类关系的时候，是否有对人类很感动的某个瞬间呢？如果有，还希望您谈一谈。

石黑：你是问在人类身上被感动到吗？我看电影时确实会感动，你问我的是做研究时有没有感动的时候，是关于人类而不是机器人，对吧？

学生：是的，又或者感受到了人类神秘的一面之类的。

石黑：我明白你的意思了，我确实没怎么从这个视角考虑过问题。

在机器人身上我收获过许多感动，毕竟我就是做机器人研究的。要说看到人类而有所感动的事情，我想想……

有一个令我感动的事情，发生在《松子和松子》这个电视节目里。

人们在人形机器人面前都非常坦诚。连松子本人也曾说过，如果是她本人出现的话，孩子们可能不会这么敞开心扉。

我们在《松子和松子》中反复做的一件事是烦恼咨询。来咨询烦恼的人既有成年人也有小孩子，既有年轻人也有稍微有些调皮任性的小男生，各种各样的人都来咨询过自己的烦恼。有一次，我们将松子人形机器人带去了青森还是哪里的乡下，一个路过的高中生年纪的孩子非常认真地跟松子人形机器人诉说了自己的烦恼以及今后想做的事情。那个场景令我挺感动的。那时我才发现，原来人类在机器人面前会变得如此坦率啊！

有一个老奶奶的例子。那时我看到老奶奶哭着跟Telenoid聊天，不禁因为自己做了Telenoid的研究项目而感叹“真是太好了”。这个研究项目能让无法跟别人聊天的人也能聊天了。

还有一个丹麦的例子。原本因为患有老年痴呆症而变得无法与人交流的人，在拿到Telenoid后，稍微过了一会儿就能像之前一样进行普通的交流了。这件事让患者周围的人也感动不已。

当其他人向那位老年痴呆症患者搭话时，他会因为猜疑心或者觉得给别人添麻烦等诸多顾虑而说不了话。明明他们并没有从精神压力中解放出来，但却能毫无心理压力地与机器人聊天，这样的事情在Telenoid的实验中经常发生。

从这个意义来看，我觉得可能Telenoid比人形机器人带给我的感动更大。

但是，平时很难向他人敞开心扉的孩子能够在松子人形机器人面前敞开心扉聊天，这样的场景无论谁看了都会感动吧。

提问

如果能够重生，您想成为什么？

学生：非常感谢您今天的演讲。石黑老师，您刚才说，为了和自己制作的人形机器人保持相似，会想办法让自己保持年轻。但是，人类早晚有一天会面临死亡。那么如果石黑老师您有一天从这个世界上消失了，之后重生在这个世界上时，您想成为什么呢？

石黑：我可能想变成蟑螂。它也是“黑”的。变成蟑螂的话我甚至都不需要换衣服了。

也不完全对，应该说我想变成虫子。也没什么缘由，就是想重生为这些似乎挺无聊的生物。我想尝试一次现在想象不到的神经活动。

像猴子、人类这样的生物，其实我们多少都能想象出来，我们比较熟悉他们的思考方式。

但是蟑螂在想什么我们可是完全想象不出来的。

我很想体验一次自己想象不出来的神经活动。而且，反正蟑螂很快就会死掉，很容易就能再一次开启重生了。

我其实并没有怎么考虑过死亡这件事。我并不觉得死亡很可怕。

我也没想过复苏这样的事情，也不认为死亡单纯就是自己从这个世界上消失，我感觉死亡或许意味着被埋进永远的时间中。大家能明白吗？

死亡的瞬间会发生什么？大脑会渐渐衰亡，对吗？

也就是说，计算能力会渐渐地停止。换句话说，哪怕只是思考一件小事，可能也需要花费无限的时间。

如果死亡意味着最后会进入无限的时间中，可能这种状态就跟钟表停止了差不多。

因此，说实话我并没有怎么思考过死亡、重生这样的事情。如果非要说的话，可能我还是更想重生成昆虫。

提问

在大学中最好做些什么事情？

学生：在大学生活中，现在最好做些什么事情呢？

石黑：其实，我曾经是一个非常不认真的学生。即便现在当了老师，我上课也不让学生签到，学生只要能来考试，我就让他考试过关，当然我也有自己的策略。

我经常对我的学生说这样一句话：大学是进入社会前的最后一座堡垒，也是唯一能获得自由的最后瞬间了。

一旦走入社会，你就必须通过工作赚钱，也必须很好地宣传自己的价值。大学则是能够自由寻找自身价值的最后瞬间，也是能够提升自我价值的最后瞬间。

因此，我的回答是，请大家尽可能尝试各种各样的事情。

我曾经也像个傻瓜一样在读大学的时候出去打工。那时的我并不知道自己进入社会以后应该做什么，所以就打了许多工。我既做过补习班的运营，又做过销售员。

销售员这份工作真的不适合我，我连10天都没撑到。虽然是卖教材的工作，但我害怕到甚至没法跟对方好好交流。那时我是骑摩托车去卖教材的，当我骑着那辆全黑的摩托车到别人家问“要不要买本教材”时，没有一个人买我的教材。这也是没办法的事情。

我认为大家应该在大学期间就认真做好进入社会的准备，我指的是各种意义上的准备，不仅仅是学习。如果你非常讨厌学习，那么我觉得你可以不用学了，去做自己喜欢的事情。我认为大学就是这样的一个场所。

社会的一种趋势是，大家可能读完了高中就进入大学。如果你讨厌大学，那么我认为一直打工也是可以的。但是，在放弃学习前必须做好进入社会的准备。

然后，我认为最好不要做那种让自己后悔的决定。比如，只是因为辛苦就放弃或者觉得这样做很轻松，这样的选择往往会让自己后面更辛苦。

因此，我觉得如果大家找到了自己真正想做的事情，或者觉得这件事能够让自己拼命去做的话，那么放手去做就好了，也不用必须到课堂上上课。

人生很长，如果这次的选择不行，那么重新回到大学就好了。我认为提前做好进入社会的准备才是最重要的事情。

我在大学三、四年级的时候几乎都是住在大学的。因为我觉得自己之前玩得太过了，所以想将浪费的时间都补回来。我当时擅自在大学里找了一个能够睡觉的地方，在大学后面的两年里有一半的时间我都住在那里。

提问

如果计算机不断胜过人类，最终是不是就不需要人类了？

学生：您的演讲很有意思，非常感谢。最近，依靠人工智能仿制人类意识的技术不断发展起来，而且也出现了像老师您研发的那种外观和动作举止都很像人类的人形机器人。

我觉得今后随着这些技术的叠加，或许完全无法辨别这到底是机器人还是人类了。甚至，如果机器人胜过人类，最终是不是就不需要人类了呢？对此，老师您怎么看？

石黑：你说的"意识"，指的是哪项研究呢？

学生：依靠人工智能，使得机器人能够像人类一样对话那部分。

石黑：原来如此，那确实也跟人的意识有关。不过人的意识其实是另一个很难的问题。

比如，我们的头脑里都会产生自言自语，对吧？不过由于意识的研究非常难，所以完全重现脑中的自言自语是很久以后才能实现的事情。但是如果仅是对话这个部分，在选择好情景的前提下，如今的机器人已经非常像真人了。

今天我的演讲其实也涉及机器人会变成人类这样的话题。换句话说，今后我们可能被询问“你到底是机器人还是人类”的时代就要来临了。

学生：是这样的。

石黑：那我问你，你觉得今天的我是机器人还是人类？应该是觉得我暂且还算是人类吧？

学生：是的。

石黑：如果再过20年，可能你就会觉得我是机器人了。

届时，再考虑我是否还算人类这个问题，就如我刚才讲的残奥会选手，他们的肉体并不是他们被视为人类的必要条件，也就是说，不管是机械还是肉身，人类的定义应该是被其他的东西赋予的。

为什么黑人能够获得人权？其实是因为他们和白人建立了很好的人类之间的关系，与白人成为朋友。所以得出了这样的结论：人权基本上与肤色无关。

也就是说，如果与材料无关的话，那么即便是机械构成的机器人也能成为人类。

在现代社会，肉身已经不是被认定为人类的必要条件了。或许随着社会的发展变化，今后无论是机器人还是人类都会被认定成人类。

学生：那是不是可以预想未来将不会有弱小的人类了呢？是不是机器人能够取代人类做所有的事情？

石黑：有这种可能性。

说不定今后人类如果不在脑中植入计算机芯片就无法再继续研发新的软件了，今后靠人类现在的大脑也无法再做出新的发明了。

今后，或许只有细胞化或者机械化的人类才属于优质人类，而被淘汰下来的人，该如何称呼他们，我也不知道，也许在未来他们都无法属于人类了。

我在演讲中说到的两极分化，虽然我也不清楚这是不是人类进化的过程，但确实有这种可能性。

因此，虽然今后如何尚不得而知，但至少在现阶段，使用了技术的动物和与技术一体化的人是符合人类定义的，所以毫无疑问，能够与机械完全一体化的人将成为更强大的人类，而他们也不会被排除出人类的定义。

甚至，我觉得今后有可能反而是没有与技术充分一体化的人类会被看不起。

在思考人类的进化以及我们该如何打赢这场生存游戏时，我认为是存在这种可能性的。

学生：非常感谢您的回答。达尔文的进化论让人类失去了自以为原本拥有的特殊性。再结合石黑老师您说的今后人类会与机械的差距越来越小，我感觉这就意味着人类的特殊性会进一步消失。

石黑：那是人类作为生物的特殊性。人类作为智慧生命体或者说在拥有智慧这层意义上的特殊性其实早就得到了增强。这个问题其实是人类要将自己的根基放在哪里。我个人认为完全没有必要放在肉体上，试图从肉体的限制中解放出来才是人类的本质。如果不是这样的话，现在90%机械化的人类活动也就不应该出现了。

提问

未来，更进一步发展的人类的情感是否会消失？

学生：刚才您讲了自己产生这种思考的过程，在这个过程中艺术起到了重要的作用。可能我的想法非常奇怪，会不会1000年后，人类的思考也承载在网络等媒介上，最终所有人都能共享了呢？

这样一来，原本每个人都是独立的个体，但现在就可以变成一个庞大的网络，就好像《新世纪福音战士》中的“人类补完计划”那样。

这也就意味着每个人的想法都不会被误会，大家都能互相理解了。但同时，是不是也就意味着人类不再需要艺术性或者情感了呢？

在现如今的人类社会中，既包含热情这种正向的情感，也包含“年功序列”[①]这种会阻碍社会发展的要素。是不是如果将这种负面的要素排除，就能让社会更好地发展呢？那么对于未来更进一步发展起来的人类来说，是不是就不需要情感了呢？或者说不是不需

① 即年功序列工资制，是日本企业的传统工资制度。其主要内涵是员工的基本工资随员工本人的年龄和企业工龄的增长而每年增加，而且增加工资有一定的序列，按各企业自行规定的年功工资表次序增加。——编者注

要，而是人类的情感会消失，对此，老师怎么看呢？

石黑：首先，我并不是很熟悉《新世纪福音战士》这个作品。但至少我不同意你说的网络不断发展人类就能够瞬间互相沟通的想法。

这个话题我们先放一放。人类的情感其实是在语言之前，是人类与动物、人类与人类、人类与机械最单纯的传递想法的手段。只要你笑了，对方就知道你在笑，即便是小猫小狗也是一样的。人类与不使用语言的动物之间，只要有情感就能互相明白对方的想法。

情感是交流的手段，是一种最低级的手段。这也是情感最为重要的意义。

那么，你问这种情感今后是否会消失，我个人认为这种情感是不会消失的。

总体来说，如果有可以瞬间传递信息的手段，那么既会有必须用语言仔细说清楚的情况，也会有用更复杂的理论细致传递给对方的情况。

之所以这样说，是因为即便我们想共享信息，但其实人类的大脑容量非常小。

举个例子来解释，假设想将我的大脑与你的大脑完全连接在一起，只要硬件上做不到一对一严丝合缝的贴合，就无法即时共享大脑中的信息。同时，大脑还在不断积蓄新的信息，所以通过细细的连接线是做不到将信息全部共享的。

因为在共享信息的这个时间里，大脑也在发生改变。我认为，只要不是真正的完全贴合在一起，就无法让两个大脑共享同样的信息。

无论今后的网络发展成什么样，我认为至少将人类大脑中的全部信息都上传至网络这件事也不可能实现。

再加上信息共享的手段也需要几个层次，比如感情、语言，以及更高的层次。情感是一种能够快速传达意思的手段，你只要看到对方在笑就能快速理解那个人现在很开心。但与情感不同，语言是需要花费时间才能共享信息的手段。

一旦“个体”被统合，或许进化就会停止

石黑：如果肉体消失的话，“个人”这个概念也会改变。“个人”的概念变化就意味着“个体”的概念也会随之改变。

这种变化已经在网络上发生了。

大家现在都会使用诸如脸书、推特、邮箱等这些社交网络服务吧？

在每一个不同的社交媒体上，大家都有一个稍微不太一样的社交圈。

虽然是同一个人的“个体”，但能够生存在完全不同的世界，这使得人类的可能性被扩大了。但这并不是说所有的信息都被共享在一个网络上，而是在不同的网络平台上共享。因此，我觉得这就好像自己是由很多个“个体”组成的一样。

在这一点上是有点儿类似《新世纪福音战士》的情节，但我觉得完全共享所有信息这件事不太可能实现。

将大脑里的信息全部共享绝非易事。我甚至无法

想象从物理上该如何实现这件事，我感觉这根本就不可能实现。

假设并不是在一个大脑里汇集了所有的信息，而是拥有不同侧面的个体汇集成一个人的话，信息便是分散的。当提到“我”的时候，所有关于自己的信息便会汇集起来，形成“我是这样一个人”的集合体，这其实也是现在哲学中“我”的概念。

而所谓的“我”分散在网络上，其实就是在网上的许多地方都有“我”的存在，处于和他人共享所有的状态。但其实这种东西很难制作出来。

对此，我也解释不太清楚。

我赞同个体概念的改变和个体分散在网络上的说法，但是我并不认为能够由此共享所有的信息。

从硬件上来看，这一点很难实现，而且从“我”的概念来看，我认为最好也不要把全部信息都共享了。

一旦将所有的信息都共享的话，恐怕人类将失去进化的手段。

所谓进化，其实是在繁育出的诸多个体中留下优秀个体，我认为这个过程会持续下去。

因此，即便在网络上，如果不能在众多“我”或者说“个体”中留下其中优秀的“个体”，我认为也无法取得进步。

学生：非常感谢您的回答。

石黑：但是，网络世界确实非常有意思。关于如果人类肉身的限制消失会发生什么事，现在已经能够有所窥见了。

提问

人类对于插手神的领域的恐惧心理是否应该抹去？

学生：刚才您在演讲中称，认为进化图谱中只有有机物这件事很奇怪。

我认为这个说法可能不太对。生命诞生于35亿年前，因此，生命拥有35亿年的历史，而其自律且偶然的进化过程现在被定义为“进化”，由此也得到了进化图谱。我的疑惑是，关于这一点以及您在最后的时候讲到的人类使命或许是成为无机物的智慧生命体这个想法。

您的意思是人类会受外界支配，并且必然地创造进化，也就是说，人类将摆脱迄今为止自然选择出来的进化吗？

对于这个观点，我在感到非常有意思的同时，也觉得十分恐怖。这是不是某种插手神的领域的行为呢？

今后，我们应该消除掉这种恐惧心理吗？我感觉大部分人可能都很困惑该怎么做。

所以，我想请教您，这些是否应该被抹去呢？

石黑：我认为人类从存在的那一瞬间就已经跨过了你说的那种障碍。

总体来说，从动物的进化图谱来看，依靠技术拓展能力这件事已经不属于基因的构成机制了。因此，我认为人类的存在本身就已经侵犯了神的领域。

而现在，随着机器人或者人工智能的出现，人们更能切身感受到这一点。

从根本上讲，人类会破坏环境，能够将地球摧毁好几遍，所以人类的存在本身就涉足了神的领域。因此你说的这种恐惧其实也没什么必要。

进化是只有动物才有的，对吧？现在的进化图谱只涉及动物，也只描绘了生物性的自然淘汰的图谱。

人类破坏了这种进化规律。

人类完全无视了动物进化的机制，拥有能够杀死所有生物的力量。这样的人类，我认为已经没有在动物进化图谱上留下自己名字的权利了。

但是，只要我们人类依然生存着，就必须接受这种命运，以新的生命体描绘新的进化图谱。

我认为这便是伴随技术发展的进化。

因此，包括我刚才回答的网络话题在内，如果将技术的进步与人类的进化看成一体的话，制作新的进化图谱就是一件非常有意思的事情了。

这种进化确实也分有趣的一面和恐怖的一面。

但是，归根结底人类无法与其他动物相比较，教科书上出现的进化图谱中也只有人类违反了规则。因此，我认为人类的进化不应该被写在现在教科书中的那个位置。

我明白你的担心。但是，既然我们作为人类一直生活至今，这些都是我们无能为力的，我觉得我们应该接受命运的安排。

提问

即便在1000年后人类是否也会保留
动物性的一面？

学生：刚才您说到，在1000年后的未来，人类会淘汰掉动物性的一面，只保留技术性的一面，人类会成为无机物。

关于这一点，在演讲的最开始您也说过技术者创造的未来就是技术者最初想要创造的未来。但是，我认为有想创造这样未来的人，就肯定有不想创造这样未来的人。

人类在做完某件事后会后悔、会矛盾，但这从效率的角度来看，其实是应该摒弃的。

工程师如果将自己理想中的世界变成现实的话，我觉得他们也会在实现自己的想法后发现负面的一面。

我认为当产生这种恐惧的时候已经晚了，因为结果已经渗透到整个社会了。

因此，我才觉得是不是比起之后后悔或者矛盾，反而一开始带着恐惧心理会更好一些呢？

拥有这种想法的人越多，就越会与不断制造无机物人类的人形成对立，这样一来是不是1000年后人类仍然能保留动物性的一面呢？

石黑：嗯，我也认为有人是这么想的。但我认为1000年后从物理上来讲，人类的动物性是不会保留下来的。

1000年的时间可能有些不够，我的疑问是有机物能否承受得住宇宙空间的异变。关键在这里。

关键在于如果大量太阳放射线突然来到地球上，地球上的有机物能否承受得住。从结果来看，我想分子构造的生物恐怕是承受不住的。

因此，从长远来看，人类还是以无机物的形式生存下来的概率更大。

其实之前人类并没有意识到这一点，但不知为何，现如今大概人类意识到了这个问题，开始疯狂地开展技术研发。

因此，创造10年后、20年后的未来与创造1000年后的未来的情况是不一样的。

学生：那么，人类为了之后能够一直生存下去……

石黑：这就是一个单纯的生存游戏。能够生存下来的人就是全部。

如果有人觉得死了也挺好，那么死了就可以了，这是死去的人自己的选择。我们现在讨论的是活下来的人该怎么办这件事。1000年后可能能够继续生存下来的不是有机物而是无机物，这是基于物体结构的特点。

先不论1000年后的事情，在那之前，工程师想要创造的未来、其心中理想的未来与真的能让人类幸福的未来可能并不一致。

因此，我才认为了解人类非常重要。

人类究竟为什么活着？

幸福，是一个相对的价值观，如果说现在比昨天幸福的话，那能说平安时代的生活就是地狱吗？

也就是说，无论处于哪个时代都会有幸福与不幸，这就好像“零和游戏”一样。因此，我们不能仅依靠未来会怎样、幸福不幸福这种单纯的价值判断去评价。同理，如果有让人后悔的事情，那么肯定也会有让人不后悔的事情。

如果这样去思考，就真的不知道发展的目的在哪里了。至少我认为人类在探索未知、扩大可能性和寻找人类定义这些事上应该不断向前进。

现在的我真的不知道今后的发展方向。

或许，随着研究不断深入、技术不断进步，人类可能会弄明白幸福究竟是怎样一种状态，或者绝对的幸福究竟是什么。

但在现阶段，这个世界上没有人能够定义绝对的幸福，全都是相对的价值观，今后或许我们能够找到这个问题的答案。

如果人类有潜力的话，我就想要奋勇直前

石黑：现在我们还有许多未知的事情。

现在人类的潜力与浩瀚无垠的宇宙的可能性相比，可能就是个小米粒，甚至可能是接近于毫无存在感。

但如果人类拥有巨大的潜力的话，大家难道不想

奋勇直前吗？

也就是说，现在的人类状态是否达到了巅峰？

我甚至在想，无法在行星间移动才是最正常的人类吗？如果想去远处看一看那颗星星，去实现这个想法不是更好吗？

如果将人类的肉体变成无机物，摆脱现在有机物的限制，能够去往宇宙的话，那么人类的可能性不就扩大了许多吗？

现在大家可能觉得人类寿命的极限——120年——已经很长了。如果人类能活100万年的话，120年不过是弹指一挥间吧？

我认为人类还拥有待发掘的巨大可能性。

至少从我个人来说，我还不知道自己的生命有多少价值。所以，与其在现状原地踏步，不如去不断寻找更多的可能性，这样能更容易找到自己活着的价值。

青春の夢に忠実であれ

图书在版编目（CIP）数据

最后的讲义·石黑浩：一千年之后的人类与机器人 /（日）石黑浩著；曹倩译. -- 福州：海峡书局，2022.6
ISBN 978-7-5567-0976-2

Ⅰ.①最… Ⅱ.①石… ②曹… Ⅲ.①新闻采访－作品集－日本－现代 ②机器人－关系－人类 Ⅳ.①I313.55 ②TP242

中国版本图书馆CIP数据核字(2022)第081688号

著作权合同登记号：图字13-2022-042号

出 版 人：林彬
责任编辑：廖飞琴　魏芳
封面设计：孙晓彤
美术编辑：梁全新

最后的讲义·石黑浩：一千年之后的人类与机器人
ZUIHOU DE JIANGYI · SHIHEIHAO：YIQIAN NIAN ZHIHOU DE RENLEI YU JIQIREN

作　　者：（日）石黑浩
出版发行：海峡书局
地　　址：福州市白马中路15号海峡出版发行集团2楼
邮　　编：350001
印　　刷：三河市冀华印务有限公司
开　　本：889mm × 1194mm，1/32
印　　张：7.5
字　　数：90千字
版　　次：2022年6月第1版
印　　次：2022年6月第1次
书　　号：ISBN 978-7-5567-0976-2
定　　价：48.00元

未読 DR 思想家

关注未读好书

未读 CLUB
会员服务平台